#교과서×사고력
#게임하듯공부해
#스티커게임?리얼공부!

Go! 매쓰
초등 수학

저자 김보미

- 네이버 대표카페 '성공하는 공부방 운영하기' 운영자
- '미래엔', '메가스터디', '천재교육' 교재 기획 및 집필
- 전국 1,000개 이상의 공부방/선생님 컨설팅 및 교육
- 현재 〈GO! 매쓰〉 수학 공부방 운영

**Chunjae
Makes
Chunjae**

▼

기획총괄	김안나
편집개발	이근우, 김정희, 서진호, 최수정, 김혜민, 김현주
디자인총괄	김희정
표지디자인	윤순미
내지디자인	박희춘, 이혜미
제작	황성진, 조규영

발행일	2020년 10월 1일 2판 2023년 12월 1일 3쇄
발행인	(주)천재교육
주소	서울시 금천구 가산로9길 54
신고번호	제2001-000018호
고객센터	1577-0902
교재 구입 문의	1522-5566

교과서 GO! 사고력 GO!

GO! 매쓰

GO!

Run-A
교과서 사고력

수학 4-1

구성과 특징

1 주차 교과 집중 학습

1 교과서 개념 완성

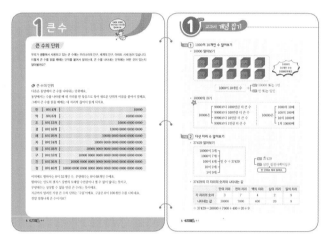

재미있는 수학 이야기로 단원에 대한 흥미를 높이고, 교과서 개념과 기본 문제를 학습합니다.

2 교과서 개념 PLAY

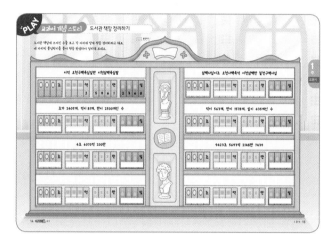

게임으로 개념을 학습하면서 집중력을 높여 쉽게 개념을 익히고 기본을 탄탄하게 만듭니다.

3 문제 풀이로 실력 & 자신감 UP!

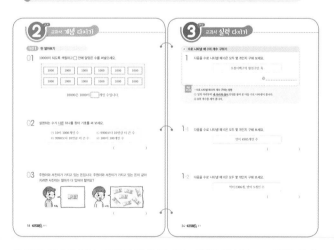

한 단계 더 나아간 교과서와 익힘 문제로 개념을 완성하고, 다양한 문제 유형으로 응용력을 키웁니다.

4 서술형 문제 풀이

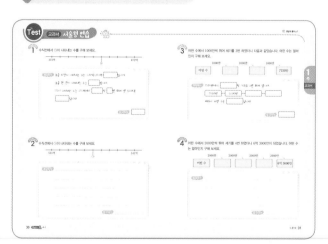

시험에 잘 나오는 서술형 문제 중심으로 단계별로 풀이하는 연습을 하여 서술하는 힘을 높여 줍니다.

2 주차 사고력 확장 학습

1 사고력 PLAY

교과 심화 문제와 사고력 문제를 게임으로 쉽게 접근하여 어려운 문제에 대한 거부감을 낮추고 집중력을 높입니다.

2 교과 사고력 잡기

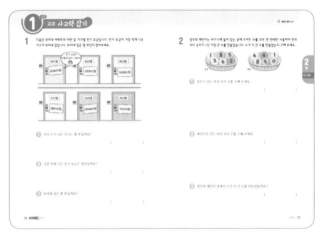

문제에 필요한 요소를 찾아 단계별로 해결하면서 문제 해결력을 키울 수 있는 힘을 기릅니다.

3 교과 사고력 확장 + 완성

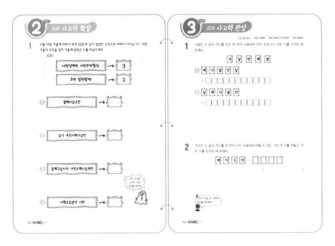

틀에서 벗어난 생각을 하여 문제를 해결하는 창의적 사고력을 기를 수 있는 힘을 기릅니다.

4 종합평가 / 특강

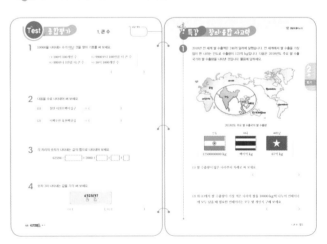

교과 학습과 사고력 학습을 얼마나 잘 이해하였는지 평가하여 배운 내용을 정리합니다.

1 큰 수

큰 수의 단위

우리가 생활에서 사용하고 있는 큰 수에는 우리나라의 인구, 세계의 인구, 아파트 시세 등이 있습니다.
이렇게 큰 수를 읽을 때에는 단위를 붙여서 말하는데, 큰 수를 나타내는 단위에는 어떤 것이 있는지
알아볼까요?

☆ 큰 수의 단위

다음은 동양에서 큰 수를 나타내는 단위예요.
동양에서는 수를 나타낼 때 네 자리를 한 묶음으로 묶어 새로운 단위의 이름을 붙여서 말해요.
그래서 큰 수를 읽을 때에는 네 자리씩 끊어서 읽게 되지요.

단위	0의 개수	수
만	0이 4개	10000
억	0이 8개	10000 0000
조	0이 12개	10000 0000 0000
경	0이 16개	10000 0000 0000 0000
해	0이 20개	10000 0000 0000 0000 0000
자	0이 24개	10000 0000 0000 0000 0000 0000
양	0이 28개	10000 0000 0000 0000 0000 0000 0000
구	0이 32개	10000 0000 0000 0000 0000 0000 0000 0000
간	0이 36개	10000 0000 0000 0000 0000 0000 0000 0000 0000
정	0이 40개	10000 0000 0000 0000 0000 0000 0000 0000 0000 0000

이외에도 항하사는 0이 52개인 수, 무량대수는 0이 68개인 수예요.
항하사는 인도의 갠지스 강변의 모래알 수만큼이나 셀 수 없이 많다는 뜻이고,
무량대수는 상상할 수 없을 만큼 큰 수라는 뜻이에요.
지금까지 알려진 가장 큰 수의 단위는 '구골'이에요. 구골은 0이 100개인 수를 나타내요.
정말 엄청나게 큰 수이지요?

☆ 표기가 다른 단위

$$123,456,789,012,345$$

trillion   billion   million thousand

영수증이나 수표에서 세 자리마다 쉼표(,)를 찍어서 금액을 나타낸 것을 쉽게 볼 수 있어요.
이는 영문 표기 방식으로 천(thousand), 백만(million), 십억(billion) 등의 단위가 세
자리마다 바뀌기 때문에 세 자리마다 쉼표를 찍는답니다.

🎓 동양에서 쓰이고 있는 단위에 맞게 네 자리씩 끊어 보세요.

❶

❷

🎓 서양에서 쓰이고 있는 단위에 맞게 세 자리마다 쉼표(,)를 찍어 보세요.

❶

자 기 앞 수 표	
₩ 2 0 0 0,0 0 0	
발 행 지 서울특별시	
주식회사 천재은행	

❷

자 기 앞 수 표	
₩ 2 5 0 0 0 0 0 0 0 0	
발 행 지 서울특별시	
주식회사 천재은행	

개념 1 1000이 10개인 수 알아보기

- 10000 알아보기

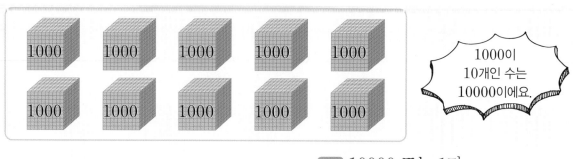

1000이 10개인 수는 10000이에요.

| 1000이 10개인 수 | → | 쓰기 10000 또는 1만 |
| | | 읽기 만 또는 일만 |

- 10000의 크기

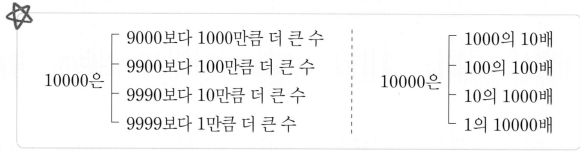

10000은
- 9000보다 1000만큼 더 큰 수
- 9900보다 100만큼 더 큰 수
- 9990보다 10만큼 더 큰 수
- 9999보다 1만큼 더 큰 수

10000은
- 1000의 10배
- 100의 100배
- 10의 1000배
- 1의 10000배

개념 2 다섯 자리 수 알아보기

- 37429 알아보기

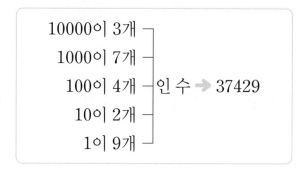

10000이 3개
1000이 7개
100이 4개 인 수 ➡ 37429
10이 2개
1이 9개

쓰기 37429
읽기 삼만 칠천사백이십구

만 단위로 띄어 읽어요.

- 37429의 각 자리의 숫자와 나타내는 값

	만의 자리	천의 자리	백의 자리	십의 자리	일의 자리
각 자리의 숫자	3	7	4	2	9
나타내는 값	30000	7000	400	20	9

➡ 37429＝30000＋7000＋400＋20＋9

개념 확인 문제

1-1 ☐ 안에 알맞은 수나 말을 써넣으세요.

> 1000이 10개인 수를 ☐ 또는 ☐ 이라 쓰고
>
> ☐ 또는 ☐ 이라고 읽습니다.

1-2 10000원이 되려면 각각의 돈이 얼마만큼 필요한지 ☐ 안에 알맞은 수를 써넣으세요.

2-1 빈칸에 알맞은 수나 말을 써넣으세요.

(1) 60592

(2) 이만 사천구백십삼

2-2 각 자리의 숫자가 나타내는 값의 합으로 나타내어 보세요.

$$62594 = \boxed{} + 2000 + \boxed{} + \boxed{} + 4$$

개념 3 십만, 백만, 천만 알아보기

- 10000이 10개, 100개, 1000개인 수

수	쓰기	읽기
10000이 10개인 수	100000 또는 10만	십만
10000이 100개인 수	1000000 또는 100만	백만
10000이 1000개인 수	10000000 또는 1000만	천만

- 10000이 1526개인 수

  [쓰기] 15260000 또는 1526만   [읽기] 천오백이십육만

- 15260000의 각 자리의 숫자와 나타내는 값

1	5	2	6	0	0	0	0
천	백	십	일	천	백	십	일
			만				일

천만	백만	십만	만	천	백	십	일
1	5	2	6	0	0	0	0
1	0	0	0	0	0	0	0
	5	0	0	0	0	0	0
		2	0	0	0	0	0
			6	0	0	0	0

➡ 15260000＝10000000＋5000000＋200000＋60000

[읽기] 오천삼백사십팔만 칠천사백육십이

일의 자리부터 네 자리씩 끊어서 읽어요.

개념 확인 문제

3-1 안에 알맞은 수를 써넣으세요.

(1) 10000이 10개이면 [   ] 또는 [   ]입니다.

(2) 10000이 100개이면 [   ] 또는 [   ]입니다.

(3) 10000이 1000개이면 [   ] 또는 [   ]입니다.

3-2 주어진 수를 보기와 같이 나타내어 보세요.

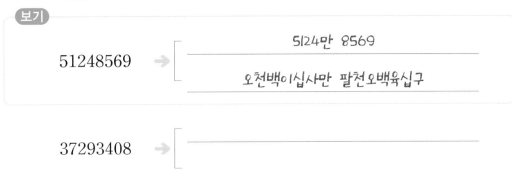

보기

$51248569 \rightarrow$
5124만 8569
오천백이십사만 팔천오백육십구

$37293408 \rightarrow$

3-3 24380000을 표로 나타낸 것입니다. 안에 알맞은 수를 써넣으세요.

2		3		0	0	0	0
천	백	십	일	천	백	십	일
			만				일

$24380000 = 20000000 + \boxed{} + 300000 + \boxed{}$

3-4 주어진 수에서 숫자 5는 어느 자리의 숫자일까요? ·· (   )

85432081

① 천의 자리   ② 만의 자리

③ 십만의 자리   ④ 백만의 자리

⑤ 천만의 자리

개념 **4** 억 알아보기

• 1000만이 10개인 수

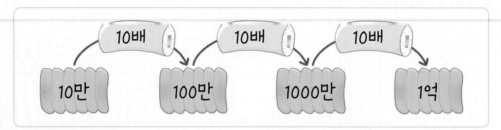

쓰기 100000000 또는 1억   읽기 억 또는 일억

• 1억이 2576개인 수

쓰기 257600000000 또는 2576억   읽기 이천오백칠십육억

• 257600000000의 각 자리의 숫자와 나타내는 값

2	5	7	6	0	0	0	0	0	0	0	0
천	백	십	일	천	백	십	일	천	백	십	일
		억				만					일

$$257600000000 = 200000000000 + 50000000000 + 7000000000 + 600000000$$

개념 **5** 조 알아보기

1억의	10배 ➡ 10억
10억의	10배 ➡ 100억
100억의	10배 ➡ 1000억
1000억의	10배 ➡ 1조

• 1000억이 10개인 수

쓰기 1000000000000 또는 1조   읽기 조 또는 일조

• 1조가 4671개인 수

쓰기 4671000000000000 또는 4671조   읽기 사천육백칠십일조

• 4671000000000000의 각 자리의 숫자가 나타내는 값

4	6	7	1	0	0	0	0	0	0	0	0	0	0	0	0
천	백	십	일	천	백	십	일	천	백	십	일	천	백	십	일
		조				억				만					일

$$4671000000000000 = 4000000000000000 + 600000000000000$$
$$+ 70000000000000 + 1000000000000$$

개념 확인 문제

4-1 ☐ 안에 알맞은 수를 써넣으세요.

(1) 1억은 1000만이 ☐ 개인 수입니다.

(2) 1억은 9000만보다 ☐ 만큼 더 큰 수입니다.

1억은
- 9000만보다 1000만만큼 더 큰 수
- 9900만보다 100만만큼 더 큰 수
- 9990만보다   10만만큼 더 큰 수
- 9999만보다   1만만큼 더 큰 수

4-2 ☐ 안에 알맞은 수를 써넣고 읽어 보세요.

179620860000

☐	☐	☐	☐	☐	☐	☐	☐	0	0	0	0
천	백	십	일	천	백	십	일	천	백	십	일
			억				만				일

읽기 _____

5-1 빈 곳에 알맞은 수를 써넣으세요.

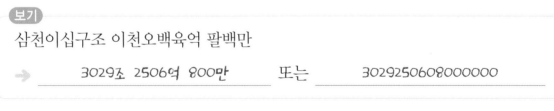

1억 —10배→ 10억 —10배→ ☐ —10배→ 1000억 —10배→ ☐

5-2 보기 와 같이 나타내어 보세요.

보기

삼천이십구조 이천오백육억 팔백만

→ 3029조 2506억 800만   또는   3029250608000000

이천칠백팔조 오십구억 천사십삼만

→ _____   또는   _____

개념 **6** 뛰어 세기 ◁ 뛰어 세기는 일정한 수만큼 늘어나는 거예요.

- 10000씩 뛰어 세기

| 52800 | 62800 | 72800 | 82800 | 92800 |

➡ 10000씩 뛰어 세면 만의 자리 수가 1씩 커집니다.

- 10억씩 뛰어 세기

| 1258억 | 1268억 | 1278억 | 1288억 | 1298억 |

➡ 10억씩 뛰어 세면 십억의 자리 수가 1씩 커집니다.

- 200조씩 뛰어 세기

| 1043조 | 1243조 | 1443조 | 1643조 | 1843조 |

➡ 200조씩 뛰어 세면 백조의 자리 수가 2씩 커집니다.

개념 **7** 수의 크기 비교하기

수의 크기를 비교할 때에는 먼저 자리 수가 같은지 다른지 비교합니다.

- 자리 수가 다른 두 수의 크기 비교하기

자리 수가 많은 쪽이 더 큰 수입니다.

예 $\underset{7자리 수}{3514096} < \underset{8자리 수}{28017436}$

- 자리 수가 같은 두 수의 크기 비교하기

가장 높은 자리의 수부터 차례로 비교하여 수가 큰 쪽이 더 큰 수입니다.

예 $635293072 > 634987015$
        └─── 5>4 ───┘

수직선에서 오른쪽에 있는 수가 왼쪽에 있는 수보다 더 큰 수야.

- 수직선을 이용하여 수의 크기 비교하기

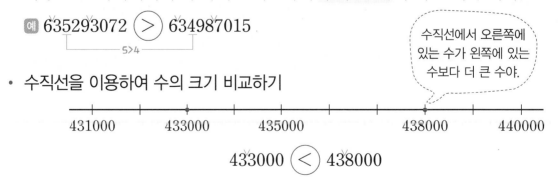

431000   433000   435000   438000   440000

$433000 < 438000$

개념 확인 문제

6-1 20억씩 뛰어 세어 보세요.

3935억   3975억

3915억

6-2 뛰어 세기를 하여 빈칸에 알맞은 수를 써넣으세요.

(1) | 660000 | 680000 | | 720000 | |

(2) | 180만 | 190만 | | | 220만 |

7-1 더 큰 수에 ◯표 하세요.

(1) | 591678 | | 5917091 |
　　　(　　　　)　　　　　　　(　　　　)

(2) | 2조 6376억 | | 2조 6285억 |
　　　(　　　　)　　　　　　　(　　　　)

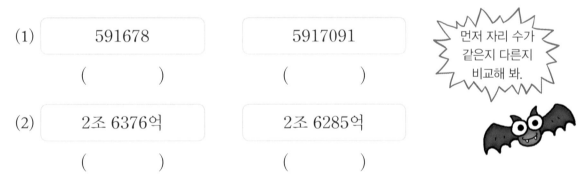

먼저 자리 수가
같은지 다른지
비교해 봐.

7-2 두 수의 크기를 비교하여 ◯ 안에 >, =, <를 알맞게 써넣으세요.

(1) 94362106 ◯ 942724761　　(2) 30억 792만 ◯ 30억 1023만

(3) 6조 4948억 ◯ 6조 5002억　　(4) 10753181 ◯ 4954907

교과서 개념 스토리 · 도서관 책장 정리하기

준비물 붙임딱지

도서관 책장에 쓰여진 수를 보고 각 자리에 맞게 책을 정리하려고 해요.
네 자리씩 붙임딱지를 붙여 책을 완성하여 정리해 보세요.

이억 오천구백육십일만 이천삼백육십팔

조가 2405개, 억이 81개, 만이 2500개인 수

4조 6070억 200만

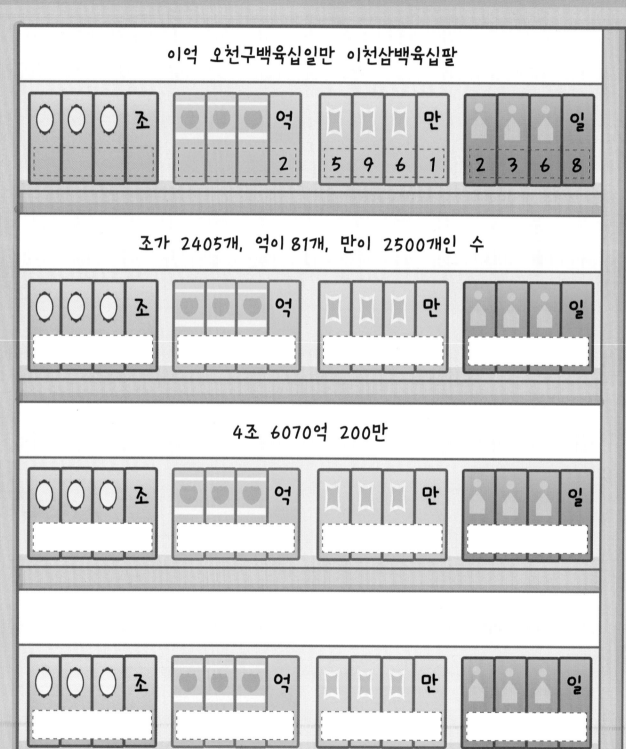

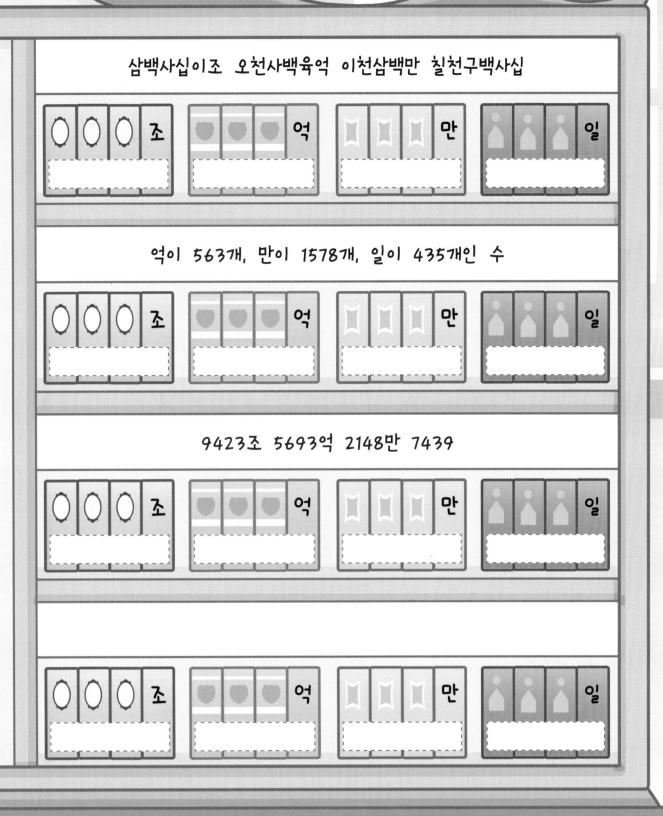

삼백사십이조 오천사백육억 이천삼백만 칠천구백사십

억이 563개, 만이 1578개, 일이 435개인 수

9423조 5693억 2148만 7439

준비물 붙임딱지

바니바니 라면 가게에 손님들이 왔습니다.

라면 가게 주방장은 손님들이 주문한 주문표를 확인합니다.

주문표에 적힌 주문 내용을 보고 라면 붙임딱지를 붙여 보세요.

손님들은 어떤 라면을 주문했을까요?

바니바니 라면가게 주문표

100이 10개인 수

9999보다 1만큼 더 큰 수

9990억보다 10억만큼 더 큰 수

1억이 10개인 수

9999억보다 1억만큼 더 큰 수

1억을 1000배 한 수

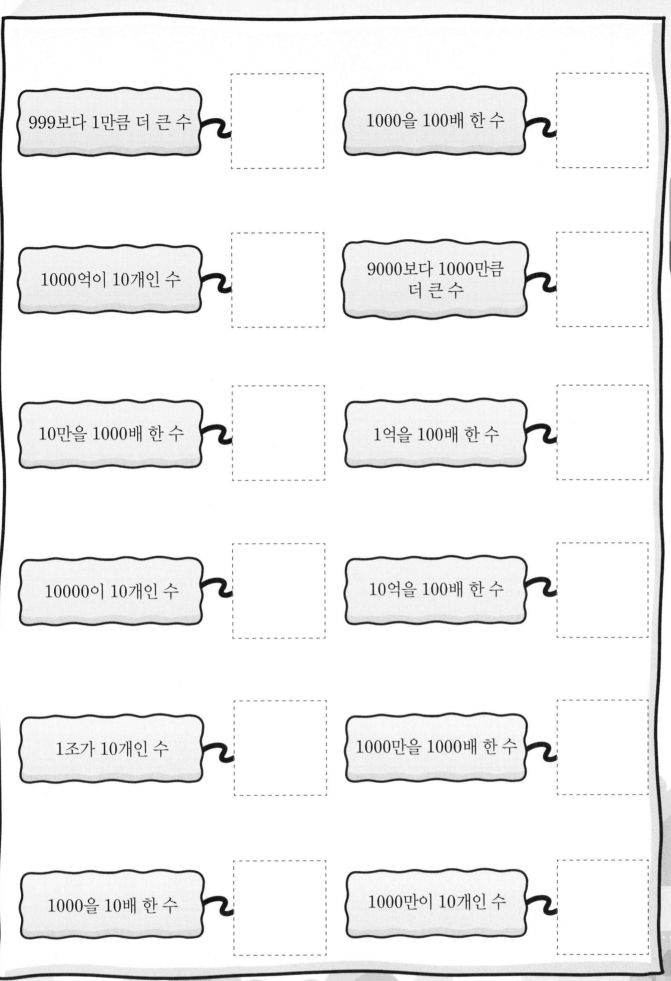

999보다 1만큼 더 큰 수

1000을 100배 한 수

1000억이 10개인 수

9000보다 1000만큼 더 큰 수

10만을 1000배 한 수

1억을 100배 한 수

10000이 10개인 수

10억을 100배 한 수

1조가 10개인 수

1000만을 1000배 한 수

1000을 10배 한 수

1000만이 10개인 수

개념 1 만 알아보기

01 10000이 되도록 색칠하고 ☐ 안에 알맞은 수를 써넣으세요.

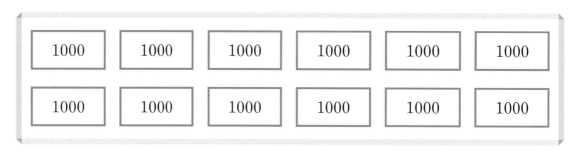

10000은 1000이 ☐ 개인 수입니다.

02 설명하는 수가 <u>다른</u> 하나를 찾아 기호를 써 보세요.

> ㉠ 10이 1000개인 수   ㉡ 9900보다 10만큼 더 큰 수
> ㉢ 9990보다 10만큼 더 큰 수   ㉣ 100이 100개인 수

(   )

03 주원이와 서진이가 가지고 있는 돈입니다. 주원이와 서진이가 가지고 있는 돈이 같아지려면 서진이는 얼마가 더 있어야 할까요?

(   )

개념 2 다섯 자리 수 알아보기

04 저금통에 있는 돈은 모두 얼마일까요?

10000이 3개, 1000이 2개, 100이 6개, 10이 4개인 수는 [   ]입니다.

➡ 저금통에 있는 돈은 모두 [   ]원입니다.

05 만의 자리 숫자가 3인 수는 어느 것일까요? ┈┈┈┈┈┈┈┈┈┈┈┈ (   )

① 84630   ② 23051   ③ 21394

④ 35628   ⑤ 75123

06 수 카드를 모두 한 번씩 사용하여 가장 큰 다섯 자리 수를 만들어 보세요.

(   )

개념 3 십만, 백만, 천만 알아보기

07 설명하는 수가 얼마인지 구해 보세요.

(1) | 만이 17개, 일이 8개인 수 |

(   )

(2) | 만이 4602개인 수 |

(   )

08 숫자 7이 나타내는 값을 써 보세요.

(1) 5720031

(   )

(2) 87635209

(   )

09 십만의 자리 숫자가 <u>다른</u> 것은 어느 것일까요?·····································(   )

① 841692   ② 862049   ③ 5842761

④ 8307294   ⑤ 72839205

1
주

교과서

개념 4 억과 조 알아보기

10 서로 같은 것끼리 선으로 이어 보세요.

3000만의 10배 •	• 30조
30억의 100배 •	• 3억
300억의 1000배 •	• 3000억

11 숫자 7은 어느 자리 숫자이고 얼마를 나타내는지 차례대로 써 보세요.

4170385429000000

(,   )

12 수 카드를 모두 한 번씩만 사용하여 가장 큰 수를 만들어 쓰고 읽어 보세요.

쓰기 (   )

읽기 (   )

개념 5 뛰어 세기

13 얼마씩 뛰어 세었는지 구해 보세요.

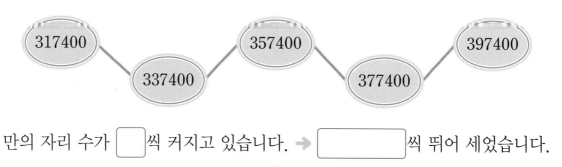

만의 자리 수가 ☐ 씩 커지고 있습니다. ➡ ☐ 씩 뛰어 세었습니다.

14 30억씩 뛰어 세어 보세요.

15 10만씩 뛰어 센 것을 찾아 기호를 써 보세요.

(   )

개념 6 **수의 크기 비교**

16 두 수 중에서 더 큰 수를 찾아 써 보세요.

4579830	601347

( )

17 다음 두 수를 수직선에 각각 나타내고 두 수의 크기를 비교해 보세요.

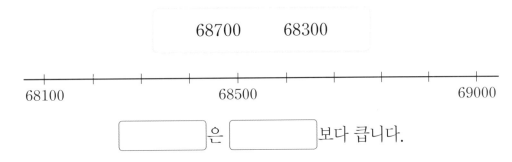

68700   68300

68100   68500   69000

[ ]은 [ ]보다 큽니다.

18 가장 큰 수를 찾아 기호를 써 보세요.

> ㉠ 51010475234000
> ㉡ 조가 510개, 억이 69개인 수
> ㉢ 오백십조 이백칠십사억

( )

★ **수로 나타낼 때 0의 개수 구하기**

1 다음을 수로 나타낼 때 0은 모두 몇 개인지 구해 보세요.

> 오천이백구억 팔천구만 육

답 _____

개념 피드백

• 수로 나타낼 때 0의 개수 구하는 방법

① 일의 자리부터 네 자리씩 끊어 단위를 붙여 본 다음 수로 나타내어 봅니다.

② 0의 개수를 세어 봅니다.

1-1 다음을 수로 나타낼 때 0은 모두 몇 개인지 구해 보세요.

> 만이 4905개인 수

(   )

1-2 다음을 수로 나타낼 때 0은 모두 몇 개인지 구해 보세요.

> 억이 2306개, 만이 5개인 수

(   )

★ **뛰어 센 수 구하기**

2 규칙에 따라 뛰어 센 것을 보고 ㉠과 ㉡에 알맞은 수를 구해 보세요.

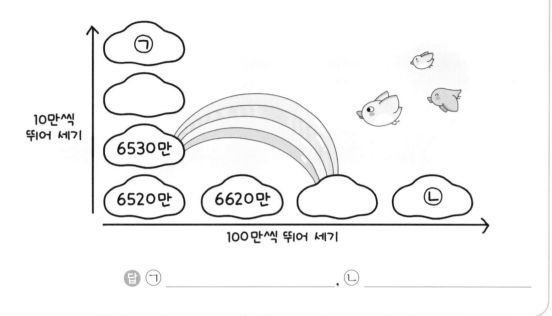

10만씩
뛰어 세기

100만씩 뛰어 세기

답 ㉠ _____ , ㉡ _____

> **개념 피드백**
> ① 10만씩 뛰어 세면 십만의 자리 수가 1씩 커집니다.
> ② 100만씩 뛰어 세면 백만의 자리 수가 1씩 커집니다.

2-1 뛰어 세기를 하였습니다. ☆에 알맞은 수를 구해 보세요.

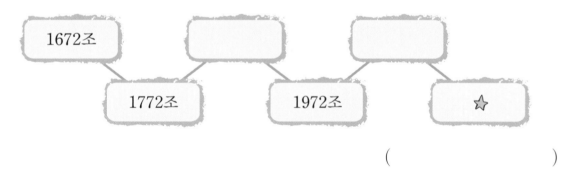

(   )

2-2 3756만에서 10만씩 커지도록 5번 뛰어 센 수는 얼마일까요?

(   )

⭐ ☐ 안에 들어갈 수 있는 수 구하기

3 ☐ 안에 들어갈 수 있는 수를 모두 찾아 ○표 하세요.

$$346548 > 3\square6915$$

(0, 1, 2, 3, 4, 5)

개념 피드백 • 수의 크기 비교 방법
① 자리 수가 같은지 다른지 비교해 봅니다.
② 자리 수가 같으면 가장 높은 자리부터 차례로 크기를 비교합니다.

3-1 0부터 9까지의 수 중에서 ☐ 안에 들어갈 수 있는 수를 모두 구해 보세요.

(1) $$71\square53 > 71738$$

( )

(2) $$38\square625 < 383265$$

( )

3-2 1부터 9까지의 수 중에서 ☐ 안에 들어갈 수 있는 수는 모두 몇 개일까요?

$$\square9362900 < 49351000$$

( )

★ 돈은 모두 얼마인지 구하기

4 지우가 가진 모형 돈을 세어 보니 100만 원짜리가 5장, 10만 원짜리가 13장, 만 원
짜리가 15장이었습니다. 지우가 가진 모형 돈은 모두 얼마인지 구해 보세요.

100만 원짜리 5장: [500] 만 원

10만 원짜리 13장: [   ] 만 원

만 원짜리 15장: [   ] 만 원

[   ] 만 원

답 _____

**개념
피드백**
① 만이 10개이면 10만입니다.
② 10만이 10개이면 100만입니다.

4-1 혜윤이의 저금통에 들어 있는 돈은 오른쪽과 같습니다.
혜윤이의 저금통에 들어 있는 돈은 모두 얼마인지 구
해 보세요.

10000원짜리 지폐 12장: [120000] 원

1000원짜리 지폐 56장: [   ] 원

100원짜리 동전 37개: [   ] 원

[   ] 원

(   )

> 10000원짜리 지폐 12장,
> 1000원짜리 지폐 56장,
> 100원짜리 동전 37개

4-2 영훈이가 가진 모형 돈을 세어 보니 1억 원짜리가 15장, 만 원짜리가 217장, 1원짜
리가 800개였습니다. 영훈이가 가진 모형 돈은 모두 얼마인지 구해 보세요.

(   )

★ 몇 번 뛰어 세는지 구하기

5 예서네 가족이 제주도 여행을 가는 데 250만 원이 필요합니다. 이번 달부터 매달 50만 원씩 모으려면 몇 개월이 걸리는지 구해 보세요.

$$0 - 50만 - 100만 - \cdots\cdots - 250만$$

(1개월)　　(2개월)　　　　(?개월)

답 _____

개념 피드백 · 몇 번 뛰어 세어야 목표에 도달하는지 구하는 방법

① 얼마씩 뛰어 세어야 하는지 알아봅니다.

② 몇 번을 뛰어 세어야 하는지 알아봅니다.

5-1 우진이는 55000원짜리 장난감을 사기 위해 용돈을 모으려고 합니다. 지금 15000원이 있고 매달 만 원씩 모으려면 몇 개월이 걸리는지 구해 보세요.

지금 15000원이 있으니 몇 개월 동안 모으면 될까?

15000 ▢ ▢ ▢ 55000

(　　　　　　　)

5-2 진주는 유기견 보호센터에 10만 원을 기부하기 위해 매달 10000원씩 모으려고 합니다. 10만 원을 모으려면 몇 개월이 걸리는지 구해 보세요.

(　　　　　　　)

★ 조건을 만족하는 가장 큰 수, 가장 작은 수 만들기

6 수 카드를 한 번씩 사용하여 8자리 수를 만들려고 합니다. 십만의 자리 숫자가 3인 가장 큰 수는 얼마인지 구해 보세요.

[8] [1] [3] [4] [0] [7] [9] [5]

(1) 십만의 자리에 3을 놓습니다. → ☐☐☐☐☐☐☐☐

(2) 십만의 자리 숫자가 3인 가장 큰 수를 만듭니다.
→ ☐☐☐☐☐☐☐☐

개념 피드백
• 수 카드로 가장 큰 수를 만들 때에는 가장 높은 자리부터 큰 수를 차례로 놓습니다.
• 수 카드로 가장 작은 수를 만들 때에는 가장 높은 자리부터 작은 수를 차례로 놓습니다.
  단, 0은 가장 높은 자리에 놓지 않습니다.

6-1 0부터 9까지의 수 중에서 8개의 수를 골라 한 번씩 사용하여 8자리 수를 만들려고 합니다. 만들 수 있는 가장 큰 수와 가장 작은 수는 각각 얼마인지 구해 보세요.

가장 큰 수 ☐☐☐☐☐☐☐☐

가장 작은 수 ☐☐☐☐☐☐☐☐

6-2 수 카드를 모두 한 번씩 사용하여 9자리 수를 만들려고 합니다. 만의 자리 숫자가 9이고 백의 자리 숫자가 8인 수 중에서 가장 작은 수는 얼마인지 구해 보세요.

[2] [3] [0] [4] [7] [5] [6] [9] [8]

(   )

 1 수직선에서 ㉠이 나타내는 수를 구해 보세요.

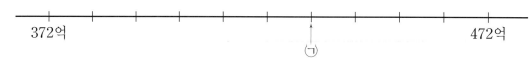

372억   472억
                              ㉠

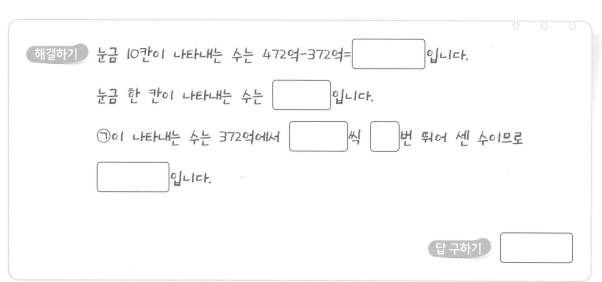

해결하기   눈금 10칸이 나타내는 수는 472억-372억=☐입니다.

눈금 한 칸이 나타내는 수는 ☐입니다.

㉠이 나타내는 수는 372억에서 ☐씩 ☐번 뛰어 센 수이므로

☐입니다.

답 구하기 ☐

2 수직선에서 ㉠이 나타내는 수를 구해 보세요.

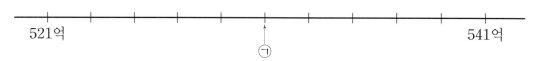

521억   541억
                              ㉠

해결하기

답 구하기

3 어떤 수에서 1000만씩 뛰어 세기를 3번 하였더니 다음과 같았습니다. 어떤 수는 얼마인지 구해 보세요.

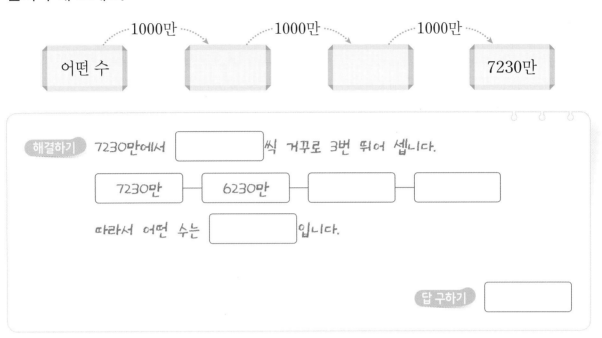

해결하기 7230만에서 [   ]씩 거꾸로 3번 뛰어 셉니다.

7230만	6230만		

따라서 어떤 수는 [   ]입니다.

답 구하기 [   ]

4 어떤 수에서 2000만씩 뛰어 세기를 4번 하였더니 6억 3000만이 되었습니다. 어떤 수는 얼마인지 구해 보세요.

해결하기

답 구하기

준비물 붙임딱지

오래된 성이 으스스하네요.
무서운 박쥐들이 날아다니는 음침하고 더러운 성이 있어요.
박쥐의 배에 알맞은 붙임딱지를 붙여서 못된 박쥐들을 모두 내쫓아 봐요.
그리고 예쁘게 성을 다시 꾸미는 거예요!

ⓛ이 나타내는 값은
⊙이 나타내는 값의
몇 배일까?

사고력 개념 스토리 — 가구 채우기

준비물 붙임딱지

박쥐들이 사라지니 빈 성만 남았어요.
일단 깨끗하게 청소를 했더니 말끔해졌어요.
이제 가구를 사서 빈 성을 예쁘게 꾸며 보려고 해요.
가구의 가격을 계산하여 가격에 맞는 가구 붙임딱지를 알맞게 붙여 보세요.

· 10만 원짜리 수표: 75장
· 만 원짜리 지폐: 60장

· 100만 원짜리 수표: 5장
· 10만 원짜리 수표: 8장
· 만 원짜리 지폐: 20장

· 10만 원짜리 수표: 5장
· 10000원짜리 지폐: 13장
· 1000원짜리 지폐: 18장

648000원

· 10000원짜리 지폐: 15장
· 1000원짜리 지폐: 6장
· 100원짜리 동전: 11개

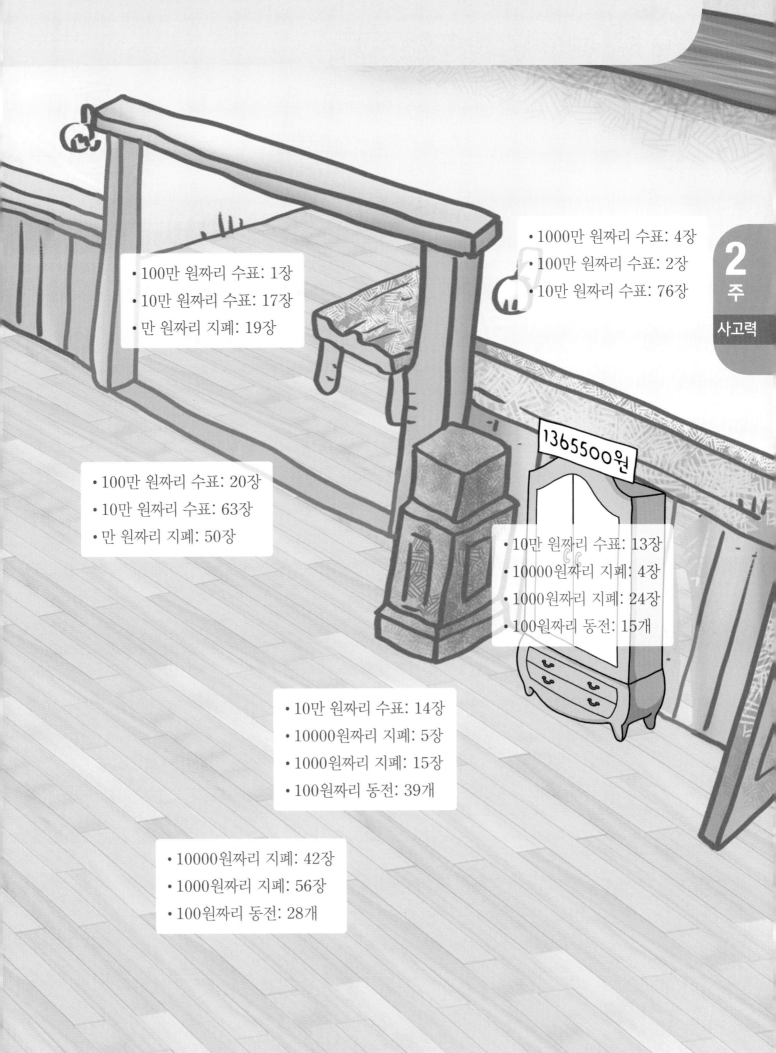

- 100만 원짜리 수표: 1장
- 10만 원짜리 수표: 17장
- 만 원짜리 지폐: 19장

- 1000만 원짜리 수표: 4장
- 100만 원짜리 수표: 2장
- 10만 원짜리 수표: 76장

1365500원

- 10만 원짜리 수표: 13장
- 10000원짜리 지폐: 4장
- 1000원짜리 지폐: 24장
- 100원짜리 동전: 15개

- 100만 원짜리 수표: 20장
- 10만 원짜리 수표: 63장
- 만 원짜리 지폐: 50장

- 10만 원짜리 수표: 14장
- 10000원짜리 지폐: 5장
- 1000원짜리 지폐: 15장
- 100원짜리 동전: 39개

- 10000원짜리 지폐: 42장
- 1000원짜리 지폐: 56장
- 100원짜리 동전: 28개

1 다음은 보미네 아파트의 이번 달 가구별 전기 요금입니다. 전기 요금이 가장 적게 나온 가구가 보미네 집입니다. 보미네 집은 몇 호인지 찾아보세요.

① 자리 수가 다른 가구는 몇 호일까요?

(   )

② 가장 적게 나온 전기 요금은 얼마일까요?

(   )

③ 보미네 집은 몇 호일까요?

(   )

2 정우와 채민이는 바구니에 들어 있는 공에 쓰여진 수를 모두 한 번씩만 사용하여 만의 자리 숫자가 5인 가장 큰 수를 만들었습니다. 누가 더 큰 수를 만들었는지 구해 보세요.

정우

채민

① 정우가 만든 여섯 자리 수를 구해 보세요.

(   )

② 채민이가 만든 여섯 자리 수를 구해 보세요.

(   )

③ 정우와 채민이 중에서 누가 더 큰 수를 만들었을까요?

(   )

3 민기와 아름이는 어머니 생신 선물을 사기 위해 구경하고 있습니다. 두 사람의 대화를 보고 선물을 사려면 각각 몇 개월이 걸리는지 구해 보세요.

① 민기는 선물을 사기 위해 몇 개월을 저금해야 할까요?

(   )

② 아름이는 선물을 사기 위해 몇 개월을 저금해야 할까요?

(   )

4 종서와 리라는 지금까지 모은 돈을 10000원짜리 지폐로 바꾸려고 합니다. 종서와 리라 중에서 누가 10000원짜리 지폐로 더 많이 바꿀 수 있는지 구해 보세요.

① 종서는 10000원짜리 지폐로 몇 장까지 바꿀 수 있을까요?

(   )

② 리라가 모은 돈은 모두 얼마일까요?

(   )

③ 리라는 10000원짜리 지폐로 몇 장까지 바꿀 수 있을까요?

(   )

④ 종서와 리라 중에서 누가 10000원짜리 지폐로 더 많이 바꿀 수 있을까요?

(   )

1 수를 마법 거울에 비추어 보면 보기와 같이 일정한 규칙으로 바뀌어 나타납니다. 마법 거울의 규칙을 찾아 거울에 알맞은 수를 써넣으세요.

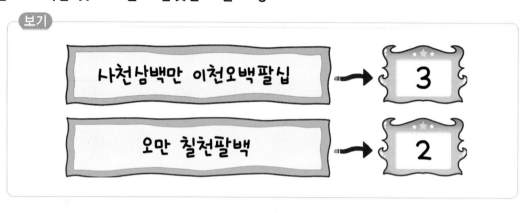

보기

사천삼백만 이천오백팔십 → **3**

오만 칠천팔백 → **2**

① 팔백사십오만 →

② 일억 육천사백구십만 →

③ 칠백구십이억 사천오백이십육만 →

먼저 숫자로
써 본 다음
규칙을 찾아봐.

④ 이백오십삼억 사만 →

2 준호와 수미는 맛있는 간식과 놀이 기구가 있는 비밀의 방에 들어가려고 해요. 비밀의 방에 들어가기 위해서는 글자 암호를 입력해야 합니다. 주어진 힌트를 보고 암호를 써 보세요.

2 주 사고력

❶ 백만의 자리 숫자가 3인 수

해 22506345   순 80735941
무 83214706   국 52364670

❷ 10000을 나타내는 수

가 9999보다 10만큼 더 큰 수   바 100이 10개인 수
간 9000보다 100만큼 더 큰 수   한 1000이 10개인 수

❸ 가장 작은 수

라 690170248   도 72415800
이 칠천이백사십이만   대 90억

❹ 숫자 5가 5000000을 나타내는 수

가 74583160   전 25284806
동 89581024   표 50913328

❶ ❷ ❸ ❹

3 다음은 일곱 자리 수가 적힌 종이가 찢어지고 남은 부분을 나타낸 것입니다. 종이에 적혀 있던 일곱 자리 수를 구해 보세요.

- 200만보다 크고 300만보다 작은 수입니다.
- 각 자리의 숫자는 1부터 7까지의 수로 모두 다릅니다.
- 십만의 자리 숫자는 3입니다.
- 이 수는 홀수입니다.

① 위의 조건에 따라 일곱 자리 수를 다음과 같이 나타내었습니다. ㉠, ㉡, ㉢ 에 알맞은 수를 각각 구해 보세요.

| ㉠ | ㉡ | | | | | ㉢ |

㉠ (   ), ㉡ (   ), ㉢ (   )

② 종이에 적혀 있던 일곱 자리 수는 얼마일까요?

(   )

4 다음은 고대 이집트에서 수를 표현한 방법입니다. 물음에 답하세요.

수	고대 이집트 숫자	설명
1	|	막대기 모양
10	∩	말발굽 모양
100	♀	밧줄을 둥그렇게 감은 모양
1000	⚘	나일강에 피어 있는 연꽃 모양
10000	𓂸	하늘을 가리키는 손가락 모양
100000	🐸	나일강에 사는 올챙이 모양
1000000	🙆	너무 놀라 양손을 하늘로 들어 올린 사람 모양

① 고대 이집트 숫자를 **보기**와 같이 수로 나타내어 보세요.

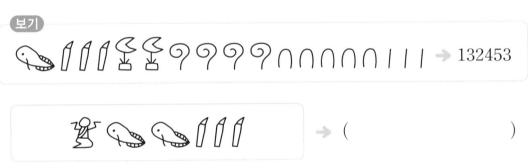

② 관계있는 것끼리 선으로 이어 보세요.

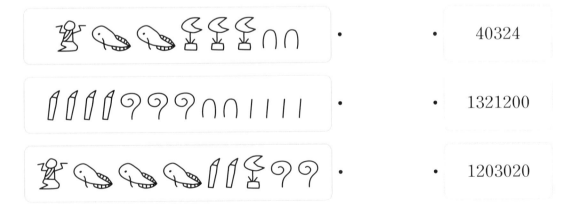

평가 영역 ☐개념 이해력 ☐개념 응용력 ☑창의력 ☐문제 해결력

1 다음은 수 글자 카드를 모두 한 번씩 사용하여 만든 수입니다. 만든 수를 숫자로 써 보세요.

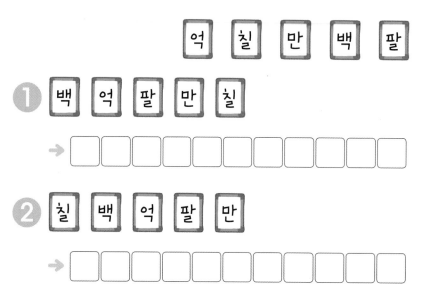

억 칠 만 백 팔

① 백 억 팔 만 칠

→

② 칠 백 억 팔 만

→

2 주어진 수 글자 카드를 한 번씩 모두 사용하여 만들 수 있는 가장 큰 수를 만들고, 만든 수를 숫자로 써 보세요.

백 억 오 천 →

(   )

먼저 가장 큰 단위의 글자를 찾아봐요.

평가 영역 □개념 이해력 ☑개념 응용력 □창의력 □문제 해결력

3 다음은 모든 나라들이 공통으로 사용하고 있는 보조 단위입니다. 헤르츠(Hz)는 주파수의 단위로 1Hz는 1초에 1번 진동함을 의미합니다. 다음을 보고 각 단위에 따라 수가 어떻게 변하는지 알아보세요.

단위	기호	나타내는 수	단위	기호	나타내는 수
킬로	K	1000	테라	T	1조
메가	M	100만	페타	P	1000조
기가	G	10억	엑사	E	100경

1 1기가헤르츠(GHz)는 몇 메가헤르츠(MHz)인지 구해 보세요.

(   ) 메가헤르츠(MHz)

2 1기가헤르츠(GHz)는 몇 헤르츠(Hz)인지 구해 보세요.

(   ) 헤르츠(Hz)

> 킬로, 메가, 기가, 테라, 페타, 엑사는 단위가 커질 때마다 숫자 0이 3개씩 늘어나요.

1 10000을 나타내는 수가 <u>아닌</u> 것을 찾아 기호를 써 보세요.

ㄱ 100이 100개인 수   ㄴ 9900보다 100만큼 더 큰 수
ㄷ 999보다 1만큼 더 큰 수   ㄹ 10이 1000개인 수

(   )

2 다음을 수로 나타내어 써 보세요.

(1)   칠만 이천오백이십구   ➡ (   )

(2)   이백오만 육천백삼십   ➡ (   )

3 각 자리의 숫자가 나타내는 값의 합으로 나타내어 보세요.

$62594 = \boxed{} + 2000 + \boxed{} + \boxed{} + \boxed{}$

4 숫자 3이 나타내는 값을 각각 써 보세요.

6321037
ㄱ   ㄴ

ㄱ (   ), ㄴ (   )

5 설명하는 수가 얼마인지 써 보세요.

(1) 만이 1570개, 일이 659개인 수

(   )

(2) 억이 13개, 만이 309개, 일이 7228개인 수

(   )

2주 평가

6 뛰어 세기를 하여 빈 곳에 알맞은 수를 써넣으세요.

(1)

| 5200만 | 5300만 | | 5500만 | |

(2)

| 9960억 | | 9980억 | 9990억 | |

7 얼마씩 뛰어 세었는지 써 보세요.

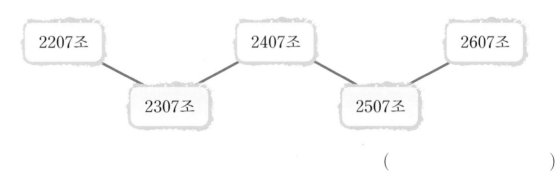

(   )

8 숫자 8이 나타내는 값이 가장 큰 수를 찾아 써 보세요.

| 28073 | 86175 | 40581 | 37852 |

(   )

9 숫자 5가 나타내는 값이 500000인 것은 어느 것일까요?······················ (   )

51054525592537
① ② ③ ④ ⑤

10 두 수의 크기를 비교하여 ○ 안에 >, =, <를 알맞게 써넣으세요.

(1) 58204 ◯ 301274

(2) 38억 6400만 ◯ 38억 7000만

11 수 카드를 모두 한 번씩만 사용하여 가장 큰 여섯 자리 수를 만들어 보세요.

7 0 2 4 8 5

(   )

12 다음을 수로 나타낼 때 0은 모두 몇 개일까요?

> 백이십구조 오천팔백억

( )

13 어떤 수에서 100만씩 4번 뛰어 세었더니 다음과 같았습니다. 어떤 수는 얼마인지 구해 보세요.

어떤 수 — □ — □ — □ — 705만

( )

14 ㉠이 나타내는 값은 ㉡이 나타내는 값의 몇 배인지 써 보세요.

59732724000
㉠ ㉡

( )

15 0부터 9까지의 수 중에서 □ 안에 들어갈 수 있는 수를 모두 구해 보세요.

> 806□2400000 > 80665900000

( )

16 종훈이가 1년 동안 모은 돈입니다. 모두 얼마인지 구해 보세요.

> 10000원짜리 지폐: 23장
>
> 1000원짜리 지폐: 5장
>
> 100원짜리 동전: 56개
>
> 10원짜리 동전: 7개

( )

17 수 카드를 모두 한 번씩만 사용하여 8억보다 큰 수를 만들고 수를 읽어 보세요.

쓰기 ( )

읽기 ( )

18 지수 어머니께서 은행에 예금한 돈 25170000원을 찾으려고 합니다. 100만 원짜리 수표는 몇 장까지 찾을 수 있는지 구해 보세요.

( )

1 2018년 전 세계 쌀 수출액은 246억 달러에 달했습니다. 전 세계에서 쌀 수출을 가장 많이 한 나라는 인도로 수출량이 125억 kg입니다. 다음은 2018년도 주요 쌀 수출 국가와 쌀 수출량을 나타낸 것입니다. 물음에 답하세요.

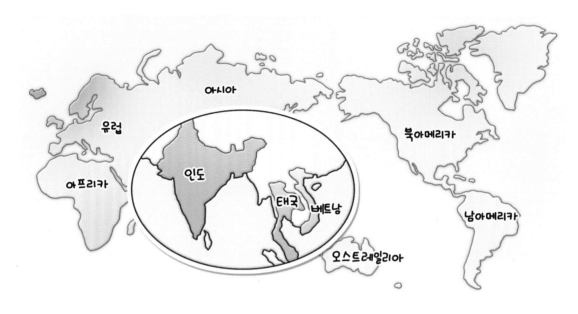

2018년도 주요 쌀 수출국의 쌀 수출량

인도	태국	베트남
12500000000 kg	백이억 kg	67억 kg

(1) 쌀 수출량이 많은 나라부터 차례로 써 보세요.

( )

(2) 위 (1)에서 쌀 수출량이 가장 적은 나라의 쌀을 10000 kg씩 나누어 컨테이너에 모두 담을 때 필요한 컨테이너는 모두 몇 개인지 구해 보세요.

( )

2 각도

각도의 기준

제자리에서 한 바퀴 빙 돌 때 우리는 360°(360도) 돌았다고 합니다. 한 바퀴 회전이 360°이기 때문이죠. 한 바퀴를 350°도 아니고 400°도 아니고 왜 360°로 정한 것일까요?
400°로 정했다면 계산이 더 쉬워질 것도 같은데 말이죠. 한 바퀴가 360°가 된 이유를 알아봅시다.

☆ 360°(360도)의 유래

한 바퀴는 왜 360°일까요? 360°의 유래가 바빌로니아 사람들에 의한 것이라는 설이 있습니다.
지금으로부터 약 4000년 전 지금의 이라크, 시리아, 이스라엘 등의 나라가 자리 잡고 있는
땅에 바빌로니아라고 하는 수준 높은 문명을 이룩한 나라가 있었습니다.

바빌로니아 사람들은 주로 농사를 짓고 살았고 농작물을 경작하기 위해 시간을 측정할 필요가 생겼습니다.
그들은 매일 뜨고 지는 태양의 위치가 하루하루 규칙적으로 변한다는 사실과 대략 360일이 지나서야 처음의 자리로 돌아온다는 것을 깨달았습니다.
그래서 바빌로니아 사람들은 1년을 360일로 나타내었습니다. 이때 달력을 원 모양으로 만들었기 때문에 그때부터 한 바퀴는 360°가 되었습니다. 이후 1년이

360일이 아니라는 것이 밝혀지며 바뀌었지만 한 바퀴는 여전히 360°로 나타내고 있습니다.

바빌로니아 사람들이 사용한 원 모양의 달력입니다. 달력을 똑같이 12달로 나누어 보세요.

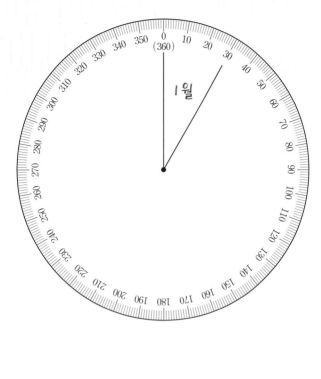

바빌로니아 사람들이 사용한 원 모양의 달력입니다. 달력을 똑같이 사계절로 나누어 보세요.

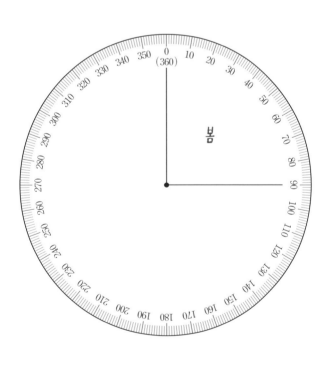

개념 1 각의 크기 비교하기

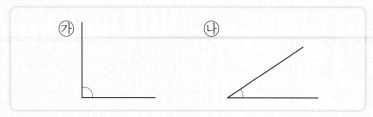

각의 크기는 두 변의 벌어진 정도가 클수록 큰 각입니다.

➡ 두 변이 더 많이 벌어져 있는 ㉮의 각의 크기가 더 큽니다.

개념 2 각도 알아보기

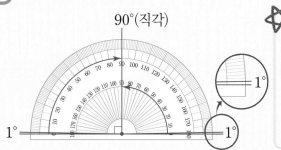

• 각도: 각의 크기
• 직각을 똑같이 90으로 나눈 것 중 하나
  쓰기 1° 읽기 1도
• 직각: 90°

• 각도기를 이용하여 각도 재기

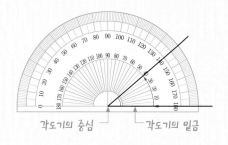

각도기의 중심   각도기의 밑금

① 각도기의 중심을 각의 꼭짓점에 맞춥니다.
② 각도기의 밑금을 각의 한 변에 맞춥니다.
③ 각의 나머지 변과 만나는 각도기의 눈금을 읽습니다.

• 각도 읽기

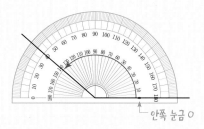

안쪽 눈금 0

각의 한 변이 안쪽 눈금 0에 맞춰져 있으면 안쪽 눈금을 읽습니다.

➡ 140°

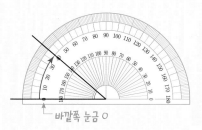

바깥쪽 눈금 0

각의 한 변이 바깥쪽 눈금 0에 맞춰져 있으면 바깥쪽 눈금을 읽습니다.

➡ 40°

개념 확인 문제

1-1 가장 크게 벌어진 부채에 ○표 하세요.

(   )   (   )   (   )

1-2 두 각 중에서 더 큰 각을 찾아 ○표 하세요.

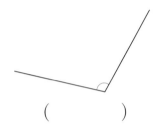 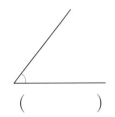

(   )   (   )

각의 두 변이
더 많이 벌어진 것을
찾아봐~

2-1 각도기를 이용하여 각도를 바르게 잰 것을 찾아 기호를 써 보세요.

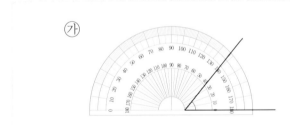

㉮   ㉯

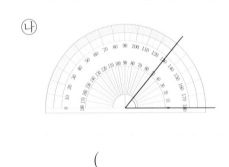

(   )

2-2 각도를 구해 보세요.

(1)

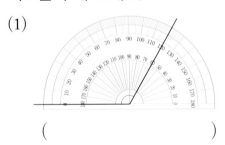

(   )

(2)

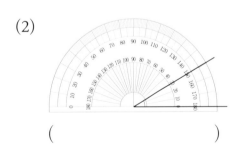

(   )

개념 3 각 그리기

• 각도가 70°인 각 ㄱㄴㄷ 그리기

	① 자를 이용하여 각의 한 변인 변 ㄴㄷ을 그립니다.
	② 각도기의 중심과 점 ㄴ을 맞추고, 각도기의 밑금과 각의 한 변인 변 ㄴㄷ을 맞춥니다.
	③ 각도기의 밑금에서 시작하여 각도가 70°가 되는 눈금에 점 ㄱ을 표시합니다.
	④ 각도기를 떼고, 자를 이용하여 변 ㄱㄴ을 그어 각도가 70°인 각 ㄱㄴㄷ을 완성합니다.

개념 4 직각보다 작은 각과 직각보다 큰 각 알아보기

• 예각과 둔각 알아보기

┌ 예각: 각도가 0°보다 크고 직각보다 작은 각
└ 둔각: 각도가 직각보다 크고 180°보다 작은 각

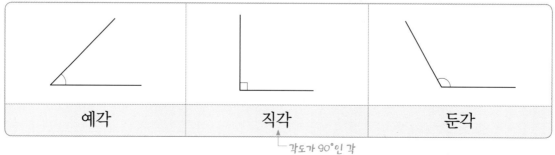

예각	직각	둔각

└ 각도가 90°인 각

개념 확인 문제

3-1 주어진 각도의 각을 각도기 위에 그려 보세요.

(1) 140°

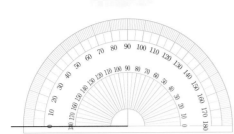

(2) 50°

3-2 각도기와 자를 이용하여 주어진 각도의 각을 그려 보세요.

(1) 80°

(2) 110°

4-1 ☐ 안에 알맞은 말을 써넣으세요.

(1) 각도가 직각보다 크고 180°보다 작은 각을 [   ]이라고 합니다.

(2) 각도가 0°보다 크고 직각보다 작은 각을 [   ]이라고 합니다.

4-2 각을 보고 예각, 직각, 둔각 중 어느 것인지 ☐ 안에 써넣으세요.

(1)

[   ]

(2)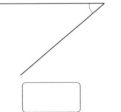

[   ]

(3)

[   ]

개념 **5** 각도 어림하기

각도기를 이용하지 않고도 어림하기 쉬운 각과 비교하여 각도를 어림할 수 있습니다.

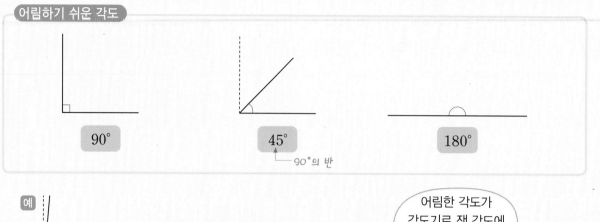

어림하기 쉬운 각도

90°

45°
└90°의 반

180°

예

→ 어림한 각도: 약 $80°$

각도기로 잰 각도: $85°$

어림한 각도가
각도기로 잰 각도에
가까울수록 어림을
잘한 거야.

개념 **6** 각도의 합과 차 구하기

· 각도의 합

각도의 합은 자연수의 덧셈과 같은 방법으로 계산합니다.

각도의 합 $100° + 30° = 130°$

$100 + 30 = 130$

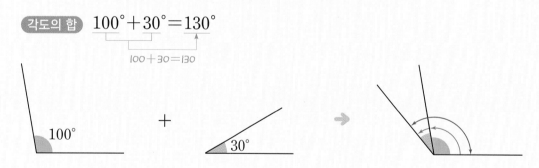

· 각도의 차

각도의 차는 자연수의 뺄셈과 같은 방법으로 계산합니다.

각도의 차 $100° - 30° = 70°$

$100 - 30 = 70$

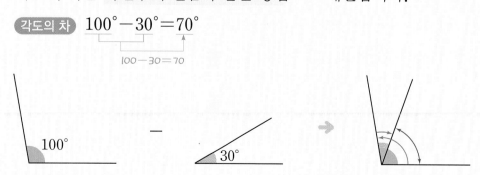

개념 확인 문제

5-1 보기의 각도를 이용하여 주어진 각의 크기를 어림해 보세요.

약 °

5-2 각도를 어림해 보고 각도기를 이용하여 재어 보세요.

(1)
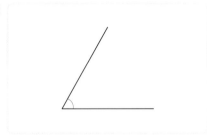

어림한 각도: 약 □°

각도기로 잰 각도: □°

(2)

어림한 각도: 약 □°

각도기로 잰 각도: □°

6-1 두 각도의 합과 차를 구해 보세요.

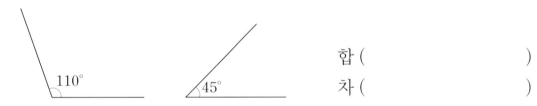

합 (   )

차 (   )

6-2 각도의 합과 차를 구해 보세요.

(1) $30° + 100°$

(2) $135° + 25°$

(3) $140° - 85°$

(4) $180° - 100°$

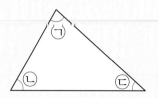 **삼각형의 세 각의 크기의 합**

- 각도기로 재어 알아보기

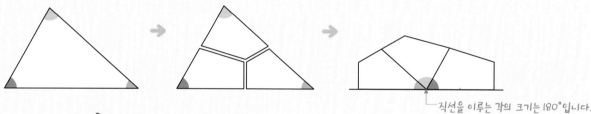

각	㉠	㉡	㉢
각도	80°	60°	40°

➡ 삼각형의 세 각의 크기의 합은 $80° + 60° + 40° = 180°$입니다.

- 삼각형을 잘라서 알아보기

└직선을 이루는 각의 크기는 180°입니다.

삼각형의 세 각의 크기의 합은 **180°**입니다.

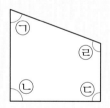 **사각형의 네 각의 크기의 합**

- 각도기로 재어 알아보기

각	㉠	㉡	㉢	㉣
각도	70°	90°	90°	110°

➡ 사각형의 네 각의 크기의 합은 $70° + 90° + 90° + 110° = 360°$입니다.

- 사각형을 잘라서 알아보기

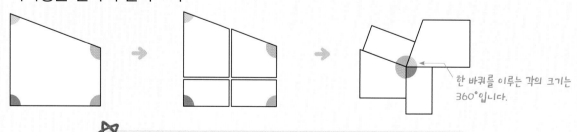

한 바퀴를 이루는 각의 크기는 360°입니다.

사각형의 네 각의 크기의 합은 **360°**입니다.

개념 확인 문제

7-1 각도기로 삼각형의 세 각의 크기를 각각 재어 빈칸에 써넣고 삼각형의 세 각의 크기의 합을 구해 보세요.

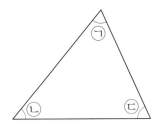

각	㉠	㉡	㉢
각도	65°		

삼각형의 세 각의 크기의 합: ☐°

7-2 ☐ 안에 알맞은 수를 써넣으세요.

(1)
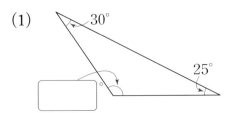

(2)
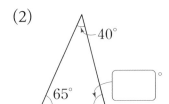

8-1 각도기로 사각형의 네 각의 크기를 재어 각각 빈칸에 써넣고 사각형의 네 각의 크기의 합을 구해 보세요.

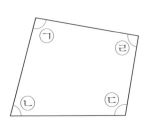

각	㉠	㉡	㉢	㉣
각도	95°			

사각형의 네 각의 크기의 합: ☐°

8-2 ☐ 안에 알맞은 수를 써넣으세요.

(1)
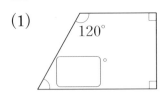

(2)
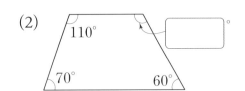

준비물 붙임딱지

기차역에 3대의 기차가 출발을 준비하고 있습니다.
예각 기차, 직각 기차, 둔각 기차를 완성하면 기차가 출발합니다. 기차가 출발할 수 있도록 알맞은 창문 붙임딱지와 바퀴 붙임딱지를 붙여 보세요.

예각을 완성해야만 출발할 수 있어요!

예각 기차

직각 기차

90°인 각

둔각 기차

저런! 물감을 쏟아 삼각형의 일부가 보이지 않아요.

보기 와 같이 나머지 한 각의 크기를 구하고 각도 붙임딱지를 붙여 삼각형을 완성해 보세요.

보기

① 삼각형의 세 각의 크기의 합을 이용하여 나머지 한 각의 크기를 구합니다.	② 구한 각의 크기만큼 각도 붙임딱지를 붙여 삼각형을 완성합니다.

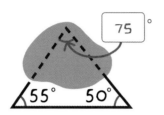

75°

55° 50°

$30° + 45° = 75°$ 니까 삼각형이 완성돼!

45° 30°

55 50

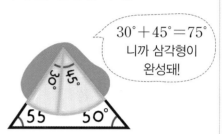

60°

□°

30°

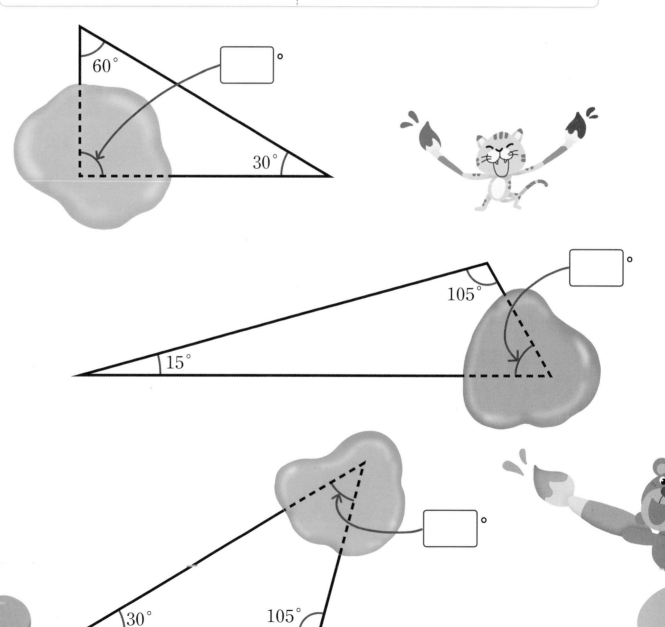

105°

15°

□°

30°

105°

□°

사각형에도 물감을 쏟아 사각형의 일부가 보이지 않아요.
사각형의 나머지 한 각의 크기를 구하고 각도 붙임딱지를 붙여 사각형을 완성해 보세요.

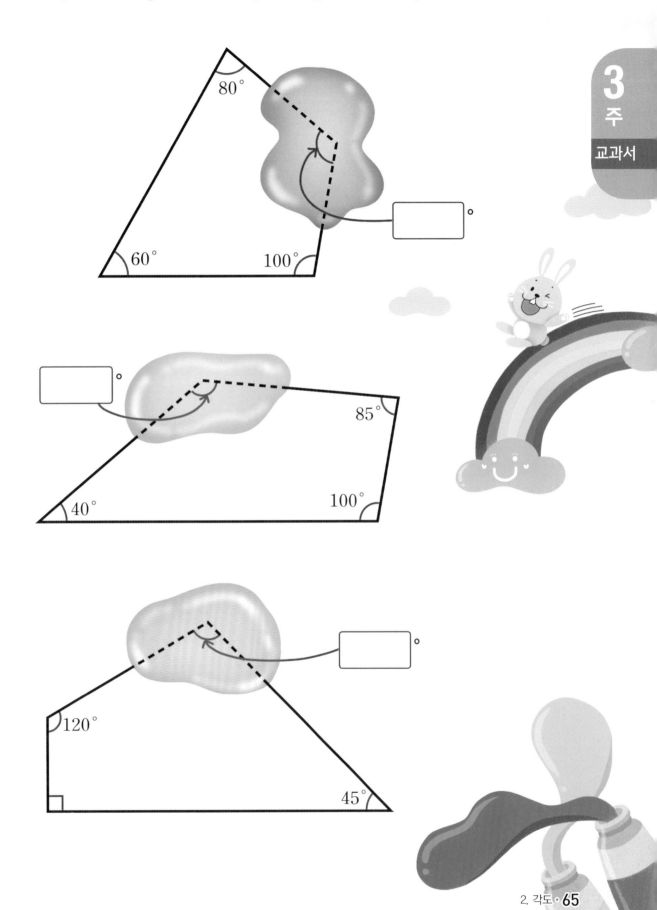

개념 1 각의 크기 비교하기

01 각의 크기가 큰 각부터 차례대로 번호를 써 보세요.

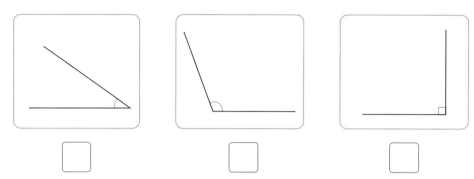

02 색종이로 만든 부채를 펼친 것입니다. 가장 큰 각을 찾아 기호를 써 보세요.

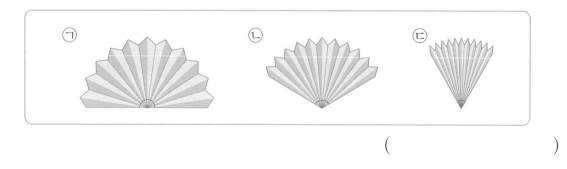

(   )

03 보기 의 각보다 더 큰 각과 더 작은 각을 각각 그려 보세요.

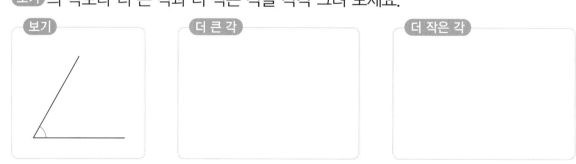

개념2 각도 알아보기 / 각 그리기

04 다음 각의 크기를 잴 때 각도기의 60°와 120° 중 어느 것을 읽어야 할까요?

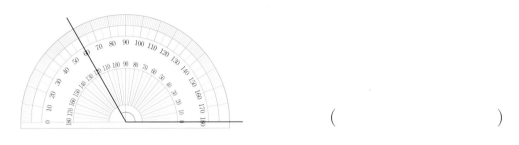

(   )

05 각도기를 이용하여 각도를 재어 보세요.

(1)   (2)

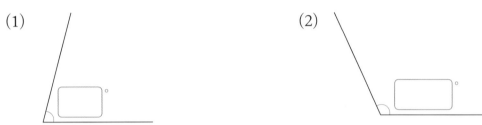

06 각도기를 이용하여 시소에서 볼 수 있는 각도를 재어 보세요.

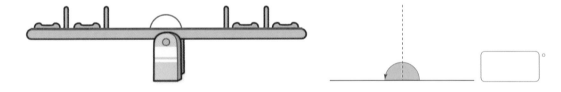

07 각도기와 자를 이용하여 각도가 55°인 각 ㄱㄴㄷ을 그리려고 합니다. 각을 그리는 순서대로 기호를 써 보세요.

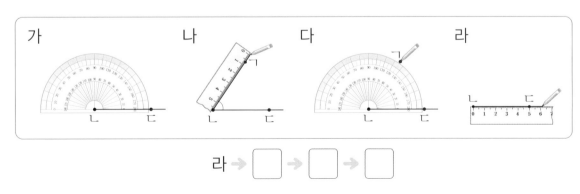

가   나   다   라

라 → ☐ → ☐ → ☐

단계 교과서 **개념 다지기**

개념 3 예각, 직각, 둔각 알아보기

08 주어진 각을 예각, 직각, 둔각으로 분류해 보세요.

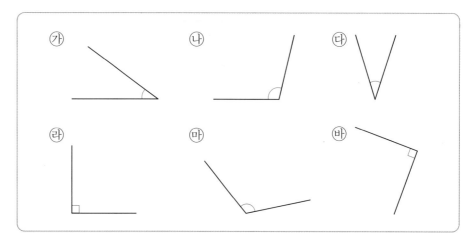

예각	직각	둔각

09 주어진 선분을 이용하여 예각과 둔각을 그려 보세요.

(1)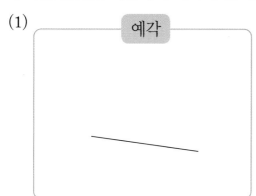

(2)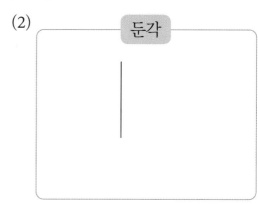

10 예각을 모두 찾아 써 보세요.

| 60° | 135° | 90° | 75° | 100° |

(   )

개념 4 각도의 합과 차 구하기

11 각도의 합과 차를 구해 보세요.

(1)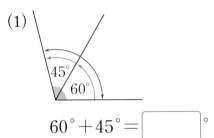

$$60° + 45° = \boxed{}°$$

(2)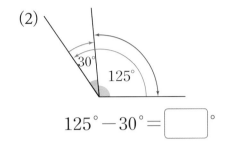

$$125° - 30° = \boxed{}°$$

12 각도의 합과 차를 구해 보세요.

(1) $90° + 40°$

(　　　　　　)

(2) $180° - 125°$

(　　　　　　)

13 각도기를 이용하여 두 각도의 합과 차를 각각 구해 보세요.

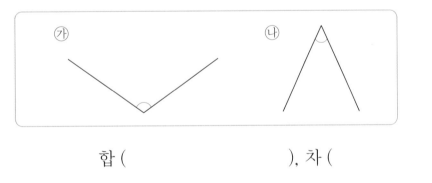

합 (　　　　　　), 차 (　　　　　　)

14 도형에서 ㉠의 각도를 구해 보세요.

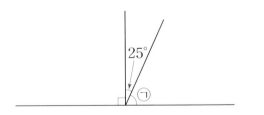

(　　　　　　)

개념5 삼각형의 세 각의 크기의 합

15 삼각형에서 ㉠에 알맞은 각도를 구해 보세요.

(1)

(   )

(2)

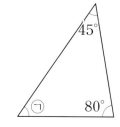

(   )

16 삼각형을 잘라서 세 꼭짓점이 한 점에 모이도록 겹치지 않게 이어 붙였습니다. ㉠에 알맞은 각도를 구해 보세요.

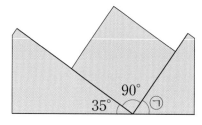

(   )

17 도형에서 ㉠과 ㉡의 각도의 합을 구해 보세요.

(1)

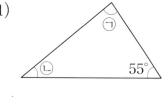

(   )

(2)

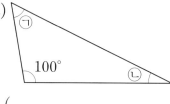

(   )

개념 6 **사각형의 네 각의 크기의 합**

18 사각형의 네 각 중 세 각의 크기가 각각 145°, 65°, 70°입니다. 나머지 한 각의 크기
를 구해 보세요.

(   )

19 사각형을 잘라서 네 꼭짓점이 한 점에 모이도록 겹치지 않게 이어 붙였습니다. ㉠에
알맞은 각도를 구해 보세요.

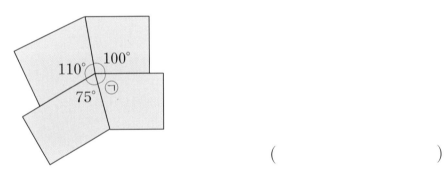

(   )

20 도형에서 ㉠과 ㉡의 각도의 합을 구해 보세요.

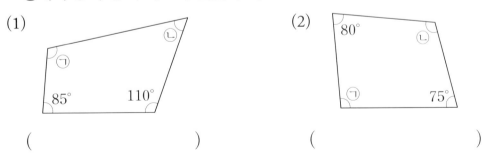

(1)   (2)

(   )   (   )

★ **시곗바늘이 이루는 각 알아보기**

1 시각에 맞게 시곗바늘을 그리고 시곗바늘이 이루는 작은 쪽의 각이 예각, 직각, 둔각 중 어느 것인지 써 보세요.

(1)

3시 40분

(2)

3시

답 _____

답 _____

개념 피드백 | 직각을 기준으로 예각과 둔각을 구분합니다.

예각 ← 직각 → 둔각

1-1 시각에 맞게 시곗바늘을 그리고 시곗바늘이 이루는 작은 쪽의 각이 예각인 것을 찾아 기호를 써 보세요.

㉠ 7시 50분

㉡ 2시 30분

( )

1-2 시곗바늘이 이루는 작은 쪽의 각이 예각, 직각, 둔각 중 어느 것인지 써 보세요.

(1) 9시 30분

(2) 11시 5분

( ) ( )

★ **도형에서 각도 구하기**

2 도형에서 ㉠의 각도를 구해 보세요.

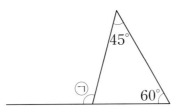

답 _____

개념 피드백 ① 삼각형의 세 각의 크기의 합은 180°입니다.
② 직선이 이루는 각도는 180°입니다.

2-1 도형에서 ㉠의 각도를 구해 보세요.

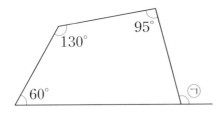

(   )

2-2 도형에서 ㉠과 ㉡의 각도를 각각 구해 보세요.

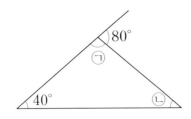

㉠ [   ]° , ㉡ [   ]°

2-3 도형에서 ㉠의 각도를 구해 보세요.

(   )

★ **직각 삼각자에서 각도의 합과 차 구하기**

3 두 직각 삼각자를 이어 붙여서 각 ㉠을 만들었습니다. ㉠의 각도를 구해 보세요.

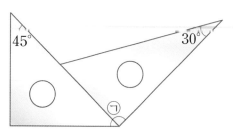

답 _____

개념 피드백 • 두 종류의 직각 삼각자

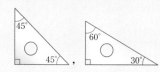

3-1 두 직각 삼각자를 겹쳐서 각 ㉠을 만들었습니다. ㉠의 각도를 구해 보세요.

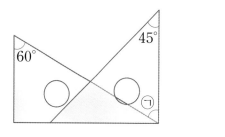

(   )

3-2 두 직각 삼각자를 겹쳐서 각 ㉠을 만들었습니다. ㉠의 각도를 구해 보세요.

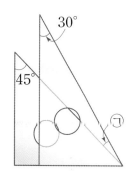

(   )

★ **직선 위에 있는 각의 크기 구하기**

4 도형에서 ㉠의 각도를 구해 보세요.

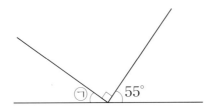

답 _____

**개념
피드백** 직선이 이루는 각의 크기는 180°입니다.

 ➡ 180°

4-1 □ 안에 알맞은 수를 써넣으세요.

(1)

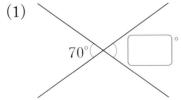

(2)

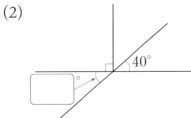

4-2 ㉠과 ㉡의 각도를 각각 구해 보세요.

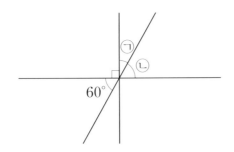

㉠ (   )

㉡ (   )

★ 각도 문제 활용하기

5 각 ㄷㄹㅁ의 각도를 구해 보세요.

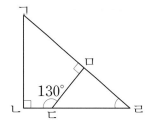

답 _____

**개념
피드백**
① 삼각형의 세 각의 크기의 합: 180°
② 사각형의 네 각의 크기의 합: 360°

5-1 도형에서 각 ㄱㄴㅁ의 각도를 구해 보세요.

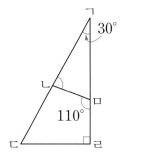

(   )

5-2 사각형 ㄱㄴㄹㅁ은 직사각형입니다. 각 ㄴㅁㄷ의 각도를 구해 보세요.

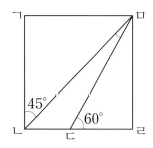

(   )

★ **도형에 표시된 모든 각의 크기의 합 구하기**

6 도형에 표시된 모든 각의 크기의 합을 구해 보세요.

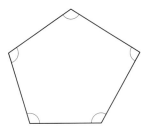

답 _____

개념 피드백

두 삼각형의 세 각의 크기의 합 ← 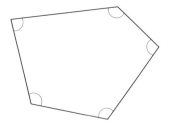 → 사각형의 네 각의 크기의 합

$$180° + 180° = 360°$$

6-1 도형에 표시된 모든 각의 크기의 합을 구해 보세요.

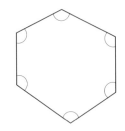

(   )

6-2 도형에 표시된 모든 각의 크기의 합을 구해 보세요.

(   )

 1 도형에서 찾을 수 있는 크고 작은 둔각은 모두 몇 개인지 구해 보세요.

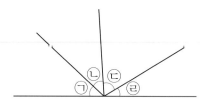

해결하기 작은 각 1개로 이루어진 둔각은 없습니다.

작은 각 2개로 이루어진 둔각은 ㉡+㉢, ☐+☐(으)로 2개입니다.

작은 각 3개로 이루어진 둔각은 ㉠+㉡+㉢, ☐+☐+☐(으)로 2개입니다.

따라서 도형에서 찾을 수 있는 크고 작은 둔각은 모두 ☐개입니다.

답 구하기 ☐개

 2 도형에서 찾을 수 있는 크고 작은 예각은 모두 몇 개인지 구해 보세요.

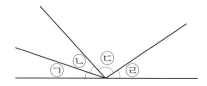

해결하기

답 구하기

3 도형에서 ㉠의 각도를 구해 보세요.

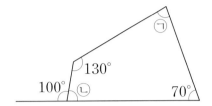

해결하기 직선이 이루는 각도는 ⬚°이므로

㉡의 각도는 ⬚°-100°=⬚°입니다.

사각형의 네 각의 크기의 합은 ⬚°이므로

㉠+130°+⬚°+70°=⬚°, ㉠=⬚°입니다.

답 구하기 ⬚°

4 오른쪽 도형에서 ㉠의 각도를 구해 보세요.

100° ㉡ 100°

해결하기

답 구하기

시곗바늘이 이루는 작은 쪽의 각도와, 남은 피자 조각의 각도에 붙임딱지를 붙이고 각도의 합을 구해 보세요.
그리고 각도 붙임딱지를 이어 붙여 합을 나타낸 각도를 나타내어 보세요.

준비물 붙임딱지

게임 방법

시곗바늘이 이루는 작은 쪽의 각도를 ☐ 안에 써넣고 각도 붙임딱지를 붙여 보세요.

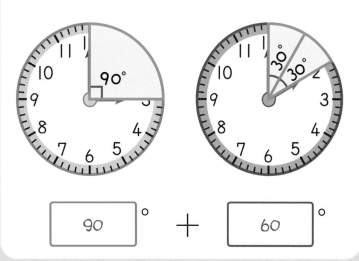

$$\boxed{90}° \quad + \quad \boxed{60}°$$

각도의 합을 구하여 ☐ 안에 써넣고 각도 붙임딱지를 이어 붙여 합을 나타내어 보세요.

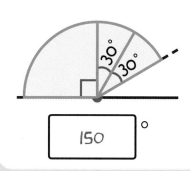

$$\boxed{150}°$$

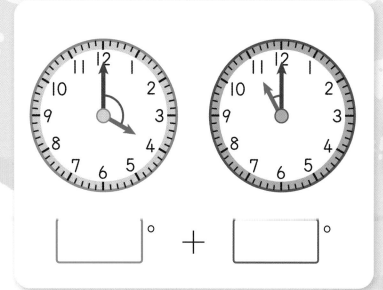

$$\boxed{}° \quad + \quad \boxed{}°$$

각도 붙임딱지를 이어 붙여 합을 나타내어 보세요.

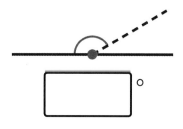

$$\boxed{}°$$

남은 피자 조각에 각도 붙임딱지를 붙여 봐.

각도 붙임딱지를 이어 붙여 합을 나타내어 보세요.

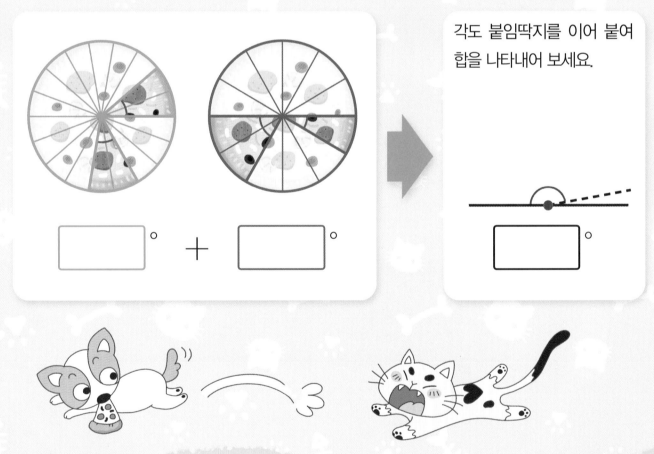

각도 붙임딱지를 이어 붙여 합을 나타내어 보세요.

준비물 붙임딱지

가로 또는 세로의 세 개의 각도를 모두 더하면 삼각형의 세 각의 크기의 합과 같습니다.
알맞은 붙임딱지를 붙여 빙고를 완성해 보세요.

	105°	
85°	35°	
	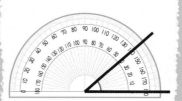	

삼각형의 세 각의 크기의 합은 ⬚°입니다.

가로 또는 세로의 네 개의 각도를 모두 더하면 사각형의 네 각의 크기의 합과 같습니다.
알맞은 붙임딱지를 붙여 빙고를 완성해 보세요.

삼각형의 세 각의 크기의 합			
105°	직각	0°	
	130°		35°

사각형의 네 각의 크기의 합은 [　　　]°입니다.

1 등대에서 밤에 다니는 배에게 길을 알려주기 위해 불빛을 비추고 있습니다. 등대에서 퍼지는 불빛의 각도는 $100°$이고 똑같이 5개로 나누었습니다. ㉠의 각도를 구해 보세요.

❶ 등대 불빛의 각도를 똑같이 5개로 나누었습니다. 작은 각 1개의 각도는 몇 도일까요?

( )

❷ ㉠의 각도는 작은 각 몇 개의 각도와 같을까요?

( )

❸ ㉠의 각도는 몇 도일까요?

( )

2 돌림판을 돌렸을 때 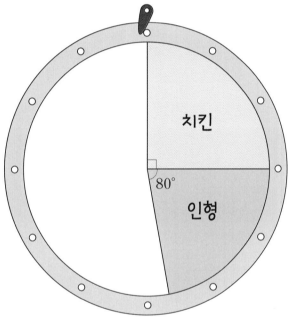가 가리키는 곳의 상품을 받을 수 있는 게임을 하고 있습니다. 지후가 돌림판을 세 번 돌려서 맞춘 칸의 각도의 합이 $90°$일 때, 지후가 받는 세 개의 상품은 무엇인지 구해 보세요.

4 주 사고력

돌림판에서 각도만큼 차지하는 상품

치킨: $90°$ 인형: $80°$ 필통: $10°$

사탕: $30°$ 연필: $35°$ 지우개: $25°$

피자: $20°$ 과자: $70°$

① 각도기를 이용하여 상품별 각도에 맞게 돌림판을 완성해 보세요.

② 지후가 받는 세 개의 상품은 무엇일까요?

(   )

3 오르막길은 일반적으로 기울어진 각도가 작을수록 물건을 옮기는 데 힘이 적게 듭니다. 대신에 물건을 옮기는 거리가 늘어납니다. 지우와 동생이 같은 무게의 물건을 서로 다른 길을 따라 집으로 옮길 때 지우가 동생보다 더 빨리 도착하려면 어느 길로 가야 하는지 구해 보세요.

① 각도기를 이용하여 ㉮ 길과 ㉯ 길의 각도를 각각 구해 보세요.

㉮ 길 (   )

㉯ 길 (   )

② 지우가 동생보다 더 빨리 도착하려면 어느 길로 가야 할까요?

(   )

4 직사각형 모양의 종이를 다음과 같이 접었습니다. ㉠의 각도를 구해 보세요.

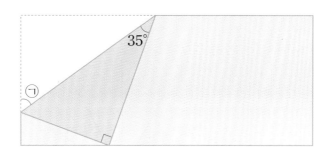

1 삼각형의 세 각의 크기의 합은 몇 도일까요?

( )

2 접은 종이를 펼쳤을 때 ㉠과 겹쳐지는 각을 ㉡으로 위의 그림에 표시해 보세요.

3 ㉡의 각도는 몇 도일까요?

( )

4 ㉠의 각도는 몇 도일까요?

( )

1 직선을 크기가 같은 각 6개로 나눈 것입니다. 각 ㄱㅇㄷ과 각 ㅁㅇㅅ의 각도의 합을 구해 보세요.

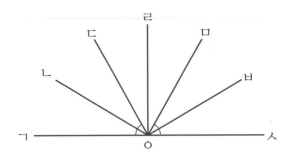

① 직선을 이루는 각의 크기의 합은 몇 도일까요?

(   )

② 작은 각 한 개의 각도는 몇 도일까요?

(   )

③ 각 ㄱㅇㄷ과 각 ㅁㅇㅅ의 각도의 합을 구해 보세요.

(   )

2 연지와 승우는 피자를 각자 한 판씩 먹고 있었습니다. 피자를 먹다가 배가 불러서 몇 조 각씩 남겼습니다. 두 사람이 먹고 남은 피자 조각의 각도의 차를 구해 보세요. (단, 피자는 각각 똑같은 각도로 잘려져 있습니다.)

① 연지가 먹고 남은 피자 조각의 각도의 합은 몇 도일까요?

( )

② 승우가 먹고 남은 피자 조각의 각도의 합은 몇 도일까요?

( )

③ 두 사람이 먹고 남은 피자 조각의 각도의 차를 구해 보세요.

( )

3 색종이를 접어서 만든 ㉠과 ㉡의 각도의 합을 구해 보세요.

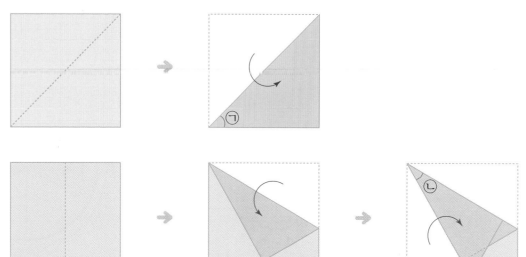

① ㉠의 각도를 구해 보세요.

( )

② ㉡의 각도를 구해 보세요.

( )

③ ㉠과 ㉡의 각도의 합을 구해 보세요.

( )

4 오후 3시에 부산역에서 출발한 기차가 2시간 후에 대전역에 도착했습니다.
기차가 대전역에 도착했을 때의 시각을 시계에 그려 넣고 시곗바늘이 이루는 작은 쪽의
각도를 구해 보세요.

부산역에서 출발   대전역에 도착

4
주

사고력

1 대전역에 도착했을 때의 시각을 위 그림에 알맞게 그려 넣으세요.

2 한 시간 동안 짧은바늘이 움직이는 각도는 몇 도일까요?

(   )

3 대전역에 도착했을 때 시계의 긴바늘과 짧은바늘이 이루는 작은 쪽의 각도는 몇 도일까요?

(   )

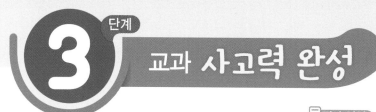
평가 영역 ☐개념 이해력 ☑개념 응용력 ☐창의력 ☐문제 해결력

1 도형의 안쪽에 있는 모든 각의 크기의 합을 구하려고 합니다. 주어진 도형을 여러 개의 삼각형 또는 사각형으로 나누어 안쪽에 있는 모든 각의 크기의 합을 구해 보세요.

❶

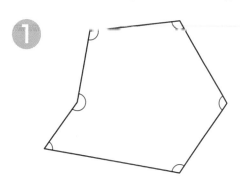

(   )

❷

(   )

💡 도형이 꼭짓점과 꼭짓점을 선분으로 잇습니다.

2 도형에서 ㉠, ㉡, ㉢의 각도의 합을 구해 보세요.

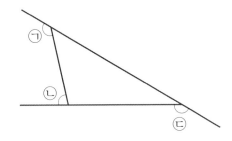

1 그림과 같이 삼각형의 세 각을 ㉣, ㉤, ㉥으로 나타내었습니다. ㉣, ㉤, ㉥의 각도의 합은 몇 도일까요?

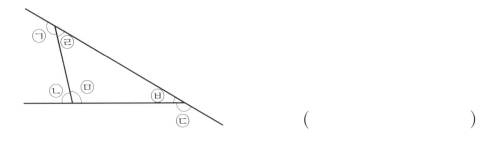

(   )

2 위 **1**의 그림에서 ㉠과 ㉣, ㉡과 ㉤, ㉢과 ㉥의 각도의 합을 각각 구해 보세요.

㉠＋㉣＝[   ]°, ㉡＋㉤＝[   ]°, ㉢＋㉥＝[   ]°

3 ㉠, ㉡, ㉢, ㉣, ㉤, ㉥의 각도의 합을 이용하여 ㉠, ㉡, ㉢의 각도의 합을 구해 보세요.

(   )

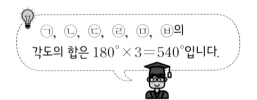

㉠, ㉡, ㉢, ㉣, ㉤, ㉥의
각도의 합은 $180° \times 3 = 540°$입니다.

1 가장 큰 각에 ○표, 가장 작은 각에 △표 하세요.

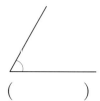
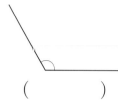
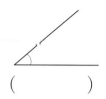

(   )   (   )   (   )

2 각도를 구해 보세요.

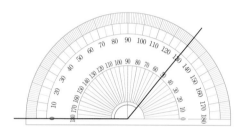

(   )

3 예각을 모두 찾아 ○표 하세요.

| 70° | 105° | 55° | 90° |

4 주어진 선분을 한 변으로 하는 둔각을 그리려고 합니다. 점 ㄱ과 이어야 하는 점은 어느 것일까요? ·· (   )

①   ②   ③   ④   ⑤

5 각의 크기가 작은 것부터 순서대로 번호를 써 보세요.

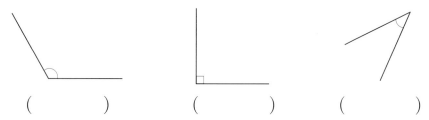

(   )   (   )   (   )

6 두 각도의 합과 차를 구해 보세요.

합 (   )

차 (   )

7 각도를 어림하고 각도기로 재어 확인해 보세요.

(1)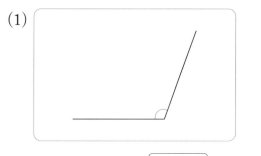

어림한 각도: 약 ☐°

각도기로 잰 각도: ☐°

(2)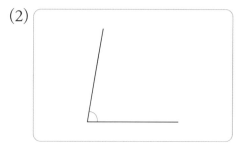

어림한 각도: 약 ☐°

각도기로 잰 각도: ☐°

8 각도기와 자를 이용하여 주어진 각도의 각을 그려 보세요.

(1)

55°

(2)

120°

9 □ 안에 알맞은 수를 써넣으세요.

(1)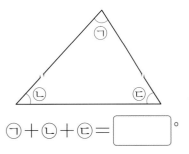

㉠+㉡+㉢=□°

(2)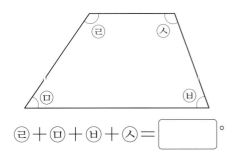

㉣+㉤+㉥+㉦=□°

10 □ 안에 알맞은 수를 써넣으세요.

(1)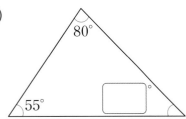

(2)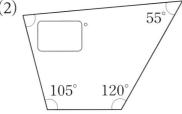

11 준수는 도서관에서 숙제를 하고 있습니다. 준수의 자세에서 볼 수 있는 각도를 각도기를 이용하여 각각 재어 보세요.

㉠ (   )

㉡ (   )

㉢ (   )

12 각도가 가장 큰 각을 찾아 기호를 써 보세요.

ㄱ 65°+75°   ㄴ 직각+55°   ㄷ 70°+80°

(   )

13 다음 도형에서 각 ㄱㄴㄷ의 크기는 몇 도일까요?

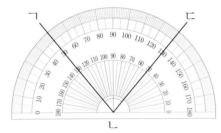

(   )

14 시곗바늘이 이루는 작은 쪽의 각이 둔각인 것을 모두 찾아 기호를 써 보세요.

ㄱ 12시 15분   ㄴ 4시   ㄷ 3시 30분   ㄹ 5시 45분

(   )

15 두 직각 삼각자를 겹쳐서 만든 모양입니다. ☐ 안에 알맞은 수를 써넣으세요.

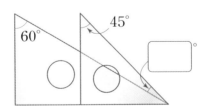

16 도형에 표시된 모든 각의 크기의 합은 몇 도일까요?

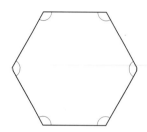

(   )

17 ☐ 안에 알맞은 수를 써넣으세요.

(1)
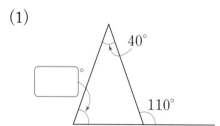

(2)
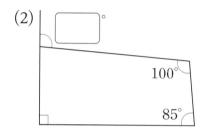

18 두 판의 피자에 각각 한 조각씩 남아 있습니다. 남은 피자 두 조각의 각도의 합을 구해 보세요. (단, 피자는 각각 똑같은 각도로 잘려져 있습니다.)

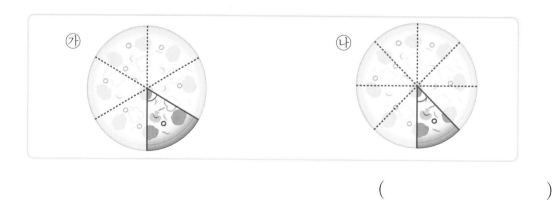

(   )

특강 창의·융합 사고력

1 사람을 만났을 때나 헤어질 때에 예의를 표현하는 말이나 행동을 인사라고 합니다. 인사는 가능한 적극적으로 하는 것이 바람직하지만, 상황에 맞지 않거나 형식을 제대로 갖추지 않은 인사는 오히려 *결례가 되기도 합니다. 상황에 맞는 인사의 종류를 찾아 이어 보세요.

*결례: 예의범절에서 벗어나는 일

보통의 인사

가볍게 고개를 숙이는 정도로 예를 표하는 인사

• 질문이나 부탁을 할 때
• 이웃사람을 만났을 때
• 앉아 있을 때

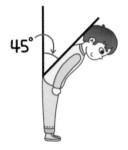

정중한 인사

가장 기본이 되는 인사

• 웃어른께 인사할 때
• 또래와 처음 만났을 때
• 감사의 표현을 할 때
• 손님을 맞이할 때

가벼운 인사

집안의 웃어른이나 존경하는 분 또는 어떤 의식에서 하는 인사

• 예의를 갖춰 감사를 표현할 때
• 진심으로 사과할 때
• 스승을 만났을 때

Memo

문제의 알맞은 곳에 붙임딱지를 붙여 보세요.

14~15쪽

0	0	0	0
0	0	0	0
0	0	0	0
0	4	3	5
1	2	7	3

3	1	0	4
3	4	9	2
4	3	8	7
5	6	0	7
7	4	3	9

7	9	4	0
8	7	0	2
9	5	0	0
0	2	0	0
0	4	7	6

1	5	7	8
1	3	5	2
2	1	4	8
2	3	0	0
2	5	0	0

3	4	6	5
6	4	8	2
7	3	4	0
8	7	0	2
9	1	2	8

0	0	8	1
	5	6	3
0	7	9	0
1	5	0	0
2	3	5	6

3	0	0	0
5	4	0	6
5	6	9	3
5	7	7	5
6	0	7	0

6	4	3	0
6	5	9	3
7	4	3	9
			4

		7	5
	3	4	2
	6	4	8
7	9	0	
1	5	0	0

2	4	0	5
3	0	6	2
2	6	4	5
5	0	5	2
9	4	2	3

16~17쪽

 천
 만
 만
 만
 십만
 십만

 억
 억
 십억
 백억
 백억
 천억

 천억
 조
 조
 조
 십조
 백조

32~33쪽

 10배
 10배
 10배
 100배
 100배
 100배

 1000배
 1000배
 1000배
 10000배
 10000배
 10000배

34~35쪽

 289만 원

 4960만 원

 600만 원

 810만 원

 2680만 원

 1468900원

 5060만 원

 157100원

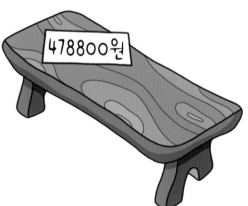 478800원

 1357800원

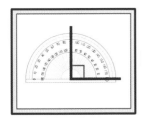

110° − 20°
30° + 60°

95°	160°
120°	105°

90°보다 크고 180°보다 작은 각

0°보다 크고 90°보다 작은 각

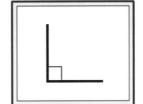

70°	55°
20°	30°

 30°
 30°
 30°
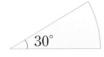 30°
 30°
 30°

 45°
 45°
 45°
 45°
 45°
 45°

 45°
 45°
 45°
 60°
 60°
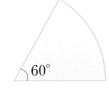 60°

 60°
 60°
 60°
 60°
 60°
 60°

자르는 선

←30° ←30° ←30° ←30° ←30° ←30°

40° 40° 40° 40° 40° 40°

45° 45° 45° 45° 45° 45°

60° 60° 60° 60° 60° 60°

60° 60°

 30°

 45°

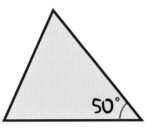 50°

 60°

 30°

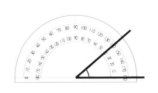

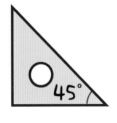 45°

 60°

 70°

105°

 150°

165°

Jump

유형 사고력

Run

교과서 사고력

Start

교과서 개념

#난이도별
#천재되는_수학교재

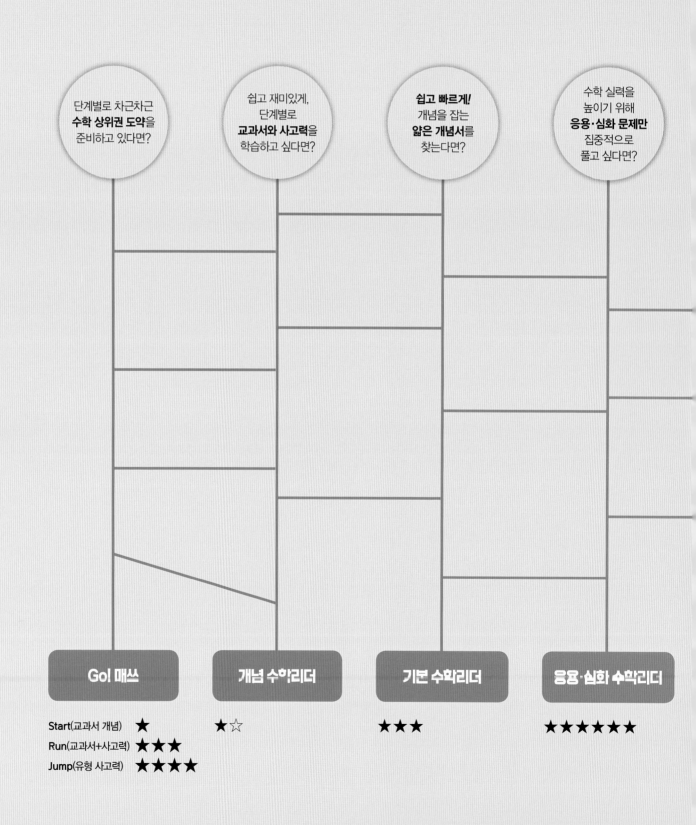

단계별로 차근차근 **수학 상위권 도약**을 준비하고 있다면?

쉽고 재미있게, 단계별로 **교과서와 사고력**을 학습하고 싶다면?

쉽고 빠르게! 개념을 잡는 **얇은 개념서**를 찾는다면?

수학 실력을 높이기 위해 **응용·심화 문제만** 집중적으로 풀고 싶다면?

Go! 매쓰

개념 수학리더

기본 수학리더

응용·심화 수학리더

Start(교과서 개념) ★
Run(교과서+사고력) ★★★
Jump(유형 사고력) ★★★★

★☆

★★★

★★★★★

교과서 GO! 사고력 GO!

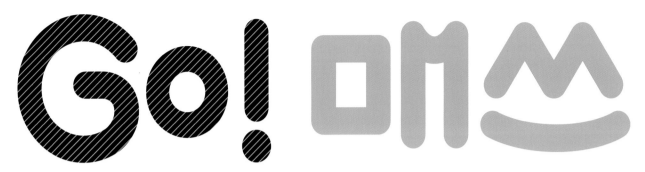

GO! 매쓰

Run-A
교과서 사고력

정답과 풀이 　　수학 4-1

정답과 해설
포인트 2가지

▶ 선생님이나 학부모가 쉽게 문제와 풀이를 한눈에 볼 수 있어요.

▶ 자세한 활동 수업에 대한 팁이 가득하게 들어 있어요.

1 큰 수

큰 수의 단위

우리가 생활에서 사용하고 있는 큰 수에는 우리나라의 인구, 세계의 인구, 아파트 시세 등이 있습니다.
이렇게 큰 수를 읽을 때에는 단위를 붙여서 말하는데, 큰 수를 나타내는 단위에는 어떤 것이 있는지
알아볼까요?

큰 수의 단위

다음은 동양에서 큰 수를 나타내는 단위예요.
동양에서는 수를 나타낼 때 네 자리를 한 묶음으로 묶어 새로운 단위의 이름을 붙여서 말해요.
그래서 큰 수를 읽을 때에는 네 자리씩 끊어서 읽게 되요.

만	0이 4개	10000
억	0이 8개	10000 0000
조	0이 12개	10000 0000 0000
경	0이 16개	10000 0000 0000 0000
해	0이 20개	10000 0000 0000 0000 0000
자	0이 24개	10000 0000 0000 0000 0000 0000
양	0이 28개	10000 0000 0000 0000 0000 0000 0000
구	0이 32개	10000 0000 0000 0000 0000 0000 0000 0000
간	0이 36개	10000 0000 0000 0000 0000 0000 0000 0000 0000
정	0이 40개	10000 0000 0000 0000 0000 0000 0000 0000 0000 0000

이외에도 항하사는 0이 52개인 수, 무량대수는 0이 68개인 수예요.
항하사는 인도의 갠지스 강변의 모래알 수만큼이나 셀 수 없이 많다는 뜻이고,
무량대수는 상상할 수 없을 만큼 큰 수라는 뜻이에요.
지금까지 알려진 가장 큰 수의 단위는 '구골'이에요. 구골은 0이 100개인 수를 나타내요.
정말 엄청나게 큰 수이지요?

표기가 다른 단위

$$123,456,789,012,345$$
trillion　billion　million thousand

영수증이나 수표에서 세 자리마다 쉼표(,)를 찍어서 금액을 나타낸 것을 쉽게 볼 수 있어요.
이는 영문 표기 방식으로 천(thousand), 백만(million), 십억(billion) 등의 단위가 세
자리마다 바뀌기 때문에 세 자리마다 쉼표를 찍는답니다.

👨‍🎓 동양에서 쓰이고 있는 단위에 맞게 네 자리씩 끊어 보세요.

① 6387✓4250✓1861✓0147

② 8237✓1905✓8367✓0581

👨‍🎓 서양에서 쓰이고 있는 단위에 맞게 세 자리마다 쉼표(,)를 찍어 보세요.

① ₩ 2,000,000

② ₩ 2,500,000,000

1단계 교과서 개념 잡기

개념 **1** 1000이 10개인 수 알아보기

• 10000 알아보기

1000이
10개인 수는
10000이에요.

1000이 10개인 수 → [쓰기] 10000 또는 1만
　　　　　　　　 → [읽기] 만 또는 일만

• 10000의 크기

10000은 ┌ 9000보다 1000만큼 더 큰 수
　　　　├ 9900보다 100만큼 더 큰 수
　　　　├ 9990보다 10만큼 더 큰 수
　　　　└ 9999보다 1만큼 더 큰 수

10000은 ┌ 1000의 10배
　　　　├ 100의 100배
　　　　├ 10의 1000배
　　　　└ 1의 10000배

개념 **2** 다섯 자리 수 알아보기

• 37429 알아보기

　1000이 3개
　1000이 7개
　100이 4개 ┐인 수 → 37429
　10이 2개
　1이 9개

→ [쓰기] 37429
→ [읽기] 삼만 칠천사백이십구
　만 단위로 띄어 읽어요.

• 37429의 각 자리의 숫자와 나타내는 값

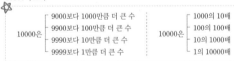

	만의 자리	천의 자리	백의 자리	십의 자리	일의 자리
각 자리의 숫자	3	7	4	2	9
나타내는 값	30000	7000	400	20	9

→ 37429 = 30000 + 7000 + 400 + 20 + 9

개념 확인 문제

정답과 풀이 p.1

1-1 ☐ 안에 알맞은 수나 말을 써넣으세요.

1000이 10개인 수를 **10000** 또는 **1만** 이라 쓰고
만 또는 **일만** 이라고 읽습니다.

1-2 10000원이 되려면 각각의 돈이 얼마만큼 필요한지 ☐ 안에 알맞은 수를 써넣으세요.

10 장　　**100** 개　　**1000** 개

❖ 10000은 1000이 10개, 100이 100개, 10이 1000개인
수입니다.

2-1 빈칸에 알맞은 수나 말을 써넣으세요.

(1) 60592 → **육만 오백구십이**

(2) 24913 → 이만 사천구백십삼

❖ 자리의 숫자가 0이면 숫자와 자릿값을 읽지 않고, 자릿값을 읽
지 않은 경우에는 그 자리에 숫자 0을 씁니다.

2-2 각 자리의 숫자가 나타내는 값의 합으로 나타내어 보세요.

62594 = **60000** + 2000 + **500** + **90** + 4

❖ 6은 만의 자리 숫자이므로 60000을 나타냅니다.
5는 백의 자리 숫자이므로 500을 나타냅니다.
9는 십의 자리 숫자이므로 90을 나타냅니다.

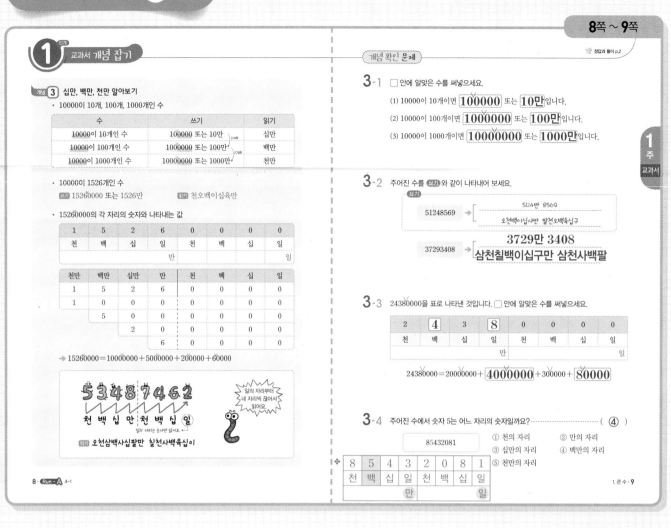

① 교과서 **개념 잡기**

개념 3 십만, 백만, 천만 알아보기

· 100000이 10개, 100개, 1000개인 수

수	쓰기	읽기
10000이 10개인 수	100000 또는 10만	십만
10000이 100개인 수	1000000 또는 100만	백만
10000이 1000개인 수	10000000 또는 1000만	천만

· 100000이 1526개인 수

쓰기 15260000 또는 1526만   읽기 천오백이십육만

· 15260000의 각 자리의 숫자와 나타내는 값

→ 15260000 = 10000000 + 5000000 + 200000 + 60000

읽기 오천삼백사십팔만 칠천사백육십이

개념 확인 문제 정답과 풀이 p.2

3-1 □ 안에 알맞은 수를 써넣으세요.

(1) 10000이 10개이면 **100000** 또는 **10만**입니다.
(2) 10000이 100개이면 **1000000** 또는 **100만**입니다.
(3) 10000이 1000개이면 **10000000** 또는 **1000만**입니다.

3-2 주어진 수를 보기와 같이 나타내어 보세요.

51248569 → 5124만 8569 / 오천백이십사만 팔천오백육십구

37293408 → **3729만 3408** / **삼천칠백이십구만 삼천사백팔**

3-3 24380000을 표로 나타낸 것입니다. □ 안에 알맞은 수를 써넣으세요.

2	4	3	8	0	0	0	0
천	백	십	일	천	백	십	일
		만				일	

24380000 = 20000000 + **4000000** + 300000 + **80000**

3-4 주어진 수에서 숫자 5는 어느 자리의 숫자일까요? ········ (④)

85432081

① 천의 자리 ② 만의 자리
③ 십만의 자리 ④ 백만의 자리
⑤ 천만의 자리

8	5	4	3	2	0	8	1
천	백	십	일	천	백	십	일
		만				일	

1. 큰 수 · **9**

8 · Run - A 4-1

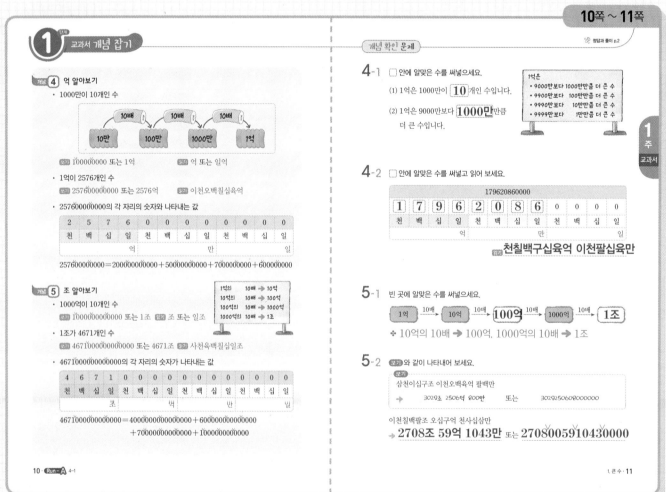

① 교과서 **개념 잡기**

개념 4 억 알아보기

· 1000만이 10개인 수

10만 →10배→ 100만 →10배→ 1000만 →10배→ 1억

쓰기 100000000 또는 1억   읽기 억 또는 일억

· 1억이 2576개인 수

쓰기 257600000000 또는 2576억   읽기 이천오백칠십육억

· 257600000000의 각 자리의 숫자와 나타내는 값

257600000000 = 200000000000 + 50000000000 + 7000000000 + 600000000

개념 5 조 알아보기

· 1000억이 10개인 수

쓰기 1000000000000 또는 1조   읽기 조 또는 일조

· 1조가 4671개인 수

쓰기 4671000000000000 또는 4671조   읽기 사천육백칠십일조

· 4671000000000000의 각 자리의 숫자가 나타내는 값

4671000000000000 = 4000000000000000 + 600000000000000
+ 70000000000000 + 1000000000000

1억의 10배 → 10억
10억의 10배 → 100억
100억의 10배 → 1000억
1000억의 10배 → 1조

개념 확인 문제 정답과 풀이 p.2

4-1 □ 안에 알맞은 수를 써넣으세요.

(1) 1억은 1000만이 **10**개인 수입니다.
(2) 1억은 9000만보다 **1000만**만큼 더 큰 수입니다.

1억은
· 9000만보다 1000만만큼 더 큰 수
· 9900만보다 100만만큼 더 큰 수
· 9990만보다 10만만큼 더 큰 수
· 9999만보다 1만만큼 더 큰 수

4-2 □ 안에 알맞은 수를 써넣고 읽어 보세요.

179620860000

1	7	9	6	2	0	8	6	0	0	0	0
천	백	십	일	천	백	십	일	천	백	십	일
		억				만				일	

읽기 **천칠백구십육억 이천팔십육만**

5-1 빈 곳에 알맞은 수를 써넣으세요.

1억 →10배→ 10억 →10배→ **100억** →10배→ 1000억 →10배→ 1조

÷ 10억의 10배 → 100억, 1000억의 10배 → 1조

5-2 보기와 같이 나타내어 보세요.

보기
삼천이십구조 이천오백육억 팔백만
→ 3029조 2506억 800만 또는 3029250600800000

이천칠백팔조 오십구억 천사십삼만
→ **2708조 59억 1043만** 또는 **2708005910430000**

1. 큰 수 · **11**

10 · Run - A 4-1

1단계 교과서 개념 잡기

개념 6 뛰어 세기 〈 뛰어 세기는 일정한 수만큼 늘어나는 거예요. 〉

- **10000씩 뛰어 세기**

| 52800 | 62800 | 72800 | 82800 | 92800 |

➜ 10000씩 뛰어 세면 만의 자리 수가 1씩 커집니다.

- **10억씩 뛰어 세기**

| 1258억 | 1268억 | 1278억 | 1288억 | 1298억 |

➜ 10억씩 뛰어 세면 십억의 자리 수가 1씩 커집니다.

- **200조씩 뛰어 세기**

| 1043조 | 1243조 | 1443조 | 1643조 | 1843조 |

➜ 200조씩 뛰어 세면 백조의 자리 수가 2씩 커집니다.

개념 7 수의 크기 비교하기

수의 크기를 비교할 때에는 먼저 자리 수가 같은지 다른지 비교합니다.

- **자리 수가 다른 두 수의 크기 비교하기**
자리 수가 많은 쪽이 더 큰 수입니다.

  예 3514096 $<$ 28017436
  7자리 수   8자리 수

- **자리 수가 같은 두 수의 크기 비교하기**
가장 높은 자리의 수부터 차례로 비교하여 수가 큰 쪽이 더 큰 수입니다.

  예 635293072 $>$ 634987015
  5>4

  수직선에서 오른쪽에 있는 수가 왼쪽에 있는 수보다 더 큰 수야.

- **수직선을 이용하여 수의 크기 비교하기**

| 431000 | 433000 | 435000 | 438000 | 440000 |

433000 $<$ 438000

개념 확인 문제

6-1 20억씩 뛰어 세어 보세요.

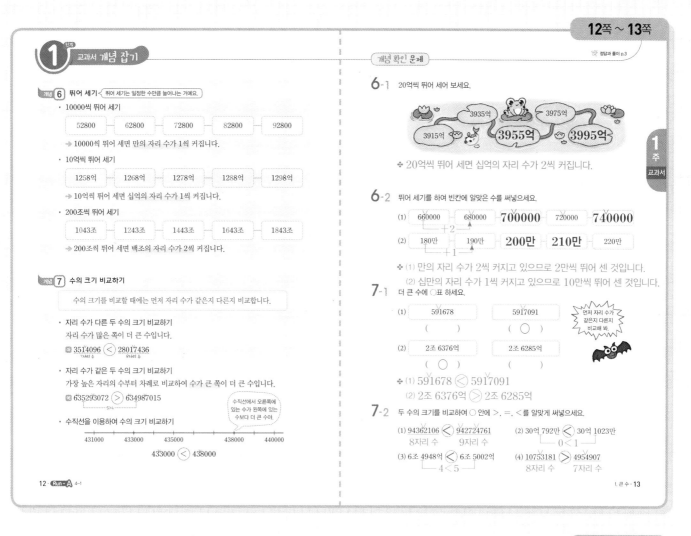

3915억 → 3935억 → 3955억 → 3975억 → 3995억

❖ 20억씩 뛰어 세면 십억의 자리 수가 2씩 커집니다.

6-2 뛰어 세기를 하여 빈칸에 알맞은 수를 써넣으세요.

(1) 660000 → 680000 → **700000** → 720000 → **740000**
+2

(2) 180만 → 190만 → **200만** → **210만** → 220만
+1

❖ (1) 만의 자리 수가 2씩 커지고 있으므로 2만씩 뛰어 센 것입니다.
(2) 십만의 자리 수가 1씩 커지고 있으므로 10만씩 뛰어 센 것입니다.

7-1 더 큰 수에 ○표 하세요.

먼저 자리 수가 같은지 다른지 비교해 봐.

(1) | 591678 | | 5917091 (○) |
    ( ) (○)

(2) | 2조 6376억 (○) | | 2조 6285억 |
    (○) ( )

❖ (1) 591678 $<$ 5917091
(2) 2조 6376억 $>$ 2조 6285억

7-2 두 수의 크기를 비교하여 ○ 안에 >, =, <를 알맞게 써넣으세요.

(1) 94362106 $<$ 942724761
    8자리 수   9자리 수

(2) 30억 792만 $<$ 30억 1023만
    0 < 1

(3) 6조 4948억 $<$ 6조 5002억
    4 < 5

(4) 10753181 $>$ 4954907
    8자리 수   7자리 수

PLAY 교과서 개념 스토리 도서관 책장 정리하기

도서관 책장에 쓰여진 수를 보고 각 자리에 맞게 책을 정리하려고 해요.
네 자리씩 붙임딱지를 붙여 책을 완성하여 정리해 보세요.

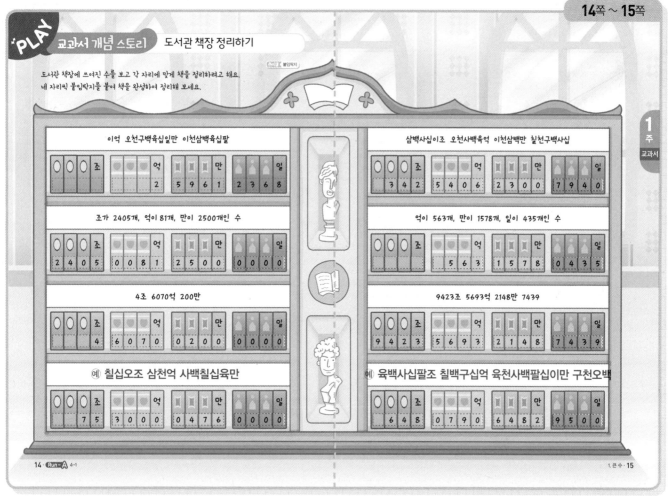

이억 오천구백육십일만 이천삼백육십팔

| | | | 조 | | | | 억 | 2 | 5 | 9 | 만 | 1 | 2 | 3 | 일 | 6 | 8 |

조가 2405개, 억이 81개, 만이 2500개인 수

| 2 | 4 | 0 | 조 | 5 | 0 | 0 | 8 | 1 | 억 | 2 | 5 | 0 | 0 | 만 | 0 | 0 | 0 | 일 | 0 |

4조 6070억 200만

| | | | 조 | 4 | | | 6 | 0 | 억 | 7 | 0 | 만 | 0 | 2 | 0 | 0 | 일 | 0 | 0 | 0 | 0 |

예 칠십오조 삼천억 사백칠십육만

| | | 7 | 조 | 5 | | 3 | 0 | 0 | 억 | 0 | | 만 | 0 | 4 | 7 | 6 | 일 | 0 | 0 | 0 | 0 |

삼백사십이조 오천사백육억 이천삼백만 칠천구백사십

| | | 3 | 4 | 조 | 2 | | | | 억 | 5 | 4 | 0 | 6 | 만 | 2 | 3 | 0 | 0 | 일 | 7 | 9 | 4 | 0 |

억이 563개, 만이 1578개, 일이 435개인 수

| | | | 조 | | | | 억 | 5 | 6 | 3 | 만 | 1 | 5 | 7 | 8 | 일 | 0 | 4 | 3 | 5 |

9423조 5693억 2148만 7439

| 9 | 4 | 2 | 3 | 조 | 5 | 6 | 9 | 3 | 억 | 2 | 1 | 4 | 8 | 만 | 7 | 4 | 3 | 9 | 일 |

예 육백사십팔조 칠백구십억 육천사백팔십이만 구천오백

| | 6 | 4 | 8 | 조 | 0 | 7 | 9 | 0 | 억 | 6 | 4 | 8 | 2 | 만 | 9 | 5 | 0 | 0 | 일 |

PLAY 교과서 개념 스토리 주문표 완성하기

바니바니 라면 가게에 손님들이 왔습니다.
라면 가게 주방장은 손님들이 주문한 주문표를 확인합니다.
주문표에 적힌 주문 내용을 보고 라면 붙임딱지를 붙여 보세요.
손님들은 어떤 라면을 주문했을까요?

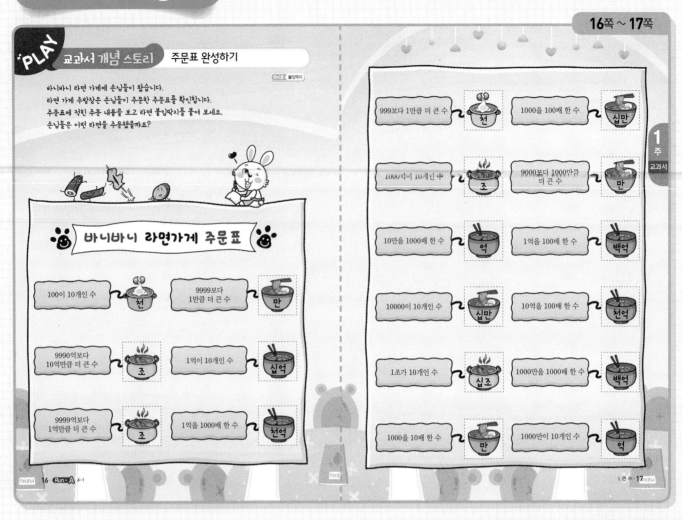

---

② 단계 교과서 개념 다지기

정답과 풀이 p.4

개념 1 만 알아보기

01 10000이 되도록 색칠하고 □ 안에 알맞은 수를 써넣으세요.

예)

10000은 1000이 **10** 개인 수입니다.

❖ 10000은 1000이 10개인 수입니다.
따라서 1000을 10개 색칠합니다.

02 설명하는 수가 다른 하나를 찾아 기호를 써 보세요.

> ㉠ 10이 1000개인 수　　㉡ 9900보다 10만큼 더 큰 수
> ㉢ 9990보다 10만큼 더 큰 수　　㉣ 100이 100개인 수

❖ ㉠ 10이 1000개인 수: 10000　　　（ ㉡ ）
㉡ 9900보다 10만큼 더 큰 수: 9910
㉢ 9990보다 10만큼 더 큰 수: 10000
㉣ 100이 100개인 수: 10000

03 주원이와 서진이가 가지고 있는 돈입니다. 주원이와 서진이가 가지고 있는 돈이 같아지려면 서진이는 얼마가 더 있어야 할까요?

（ **3000원** ）

❖ 서진이가 가지고 있는 돈이 7000원이므로 10000원이 되기 위해서는 3000원이 더 있어야 합니다.

개념 2 다섯 자리 수 알아보기

04 저금통에 있는 돈은 모두 얼마일까요?

10000이 3개, 1000이 2개, 100이 6개, 10이 4개인 수는 **32640** 입니다.

➡ 저금통에 있는 돈은 모두 **32640** 원입니다.

05 만의 자리 숫자가 3인 수는 어느 것일까요? ⋯⋯⋯⋯⋯⋯ （ ④ ）
① 84630　　② 23051　　③ 21394
④ 35628　　⑤ 75123

❖ 만의 자리 숫자를 알아보면 ① 8 ② 2 ③ 2 ④ 3 ⑤ 7입니다.

06 수 카드를 모두 한 번씩 사용하여 가장 큰 다섯 자리 수를 만들어 보세요.

　1　　4　　2　　6　　3

（ **64321** ）

❖ 가장 큰 수를 만들려면 가장 높은 자리부터 큰 수를 차례로 놓아야 합니다.
따라서 만들 수 있는 가장 큰 수는 64321입니다.

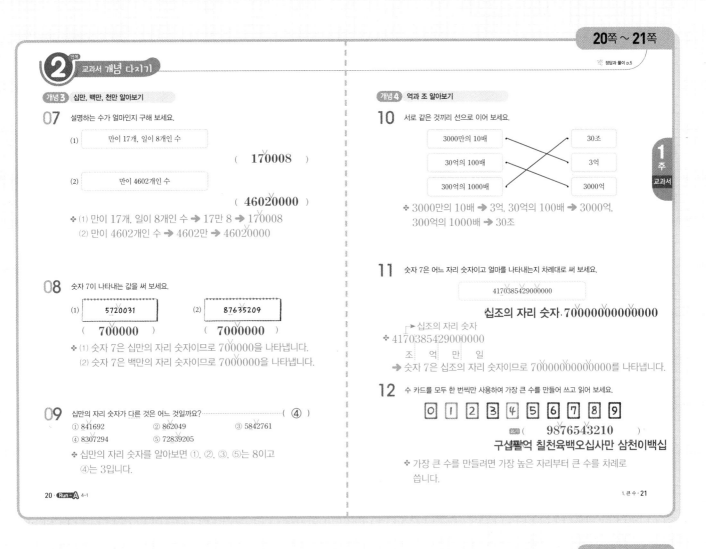

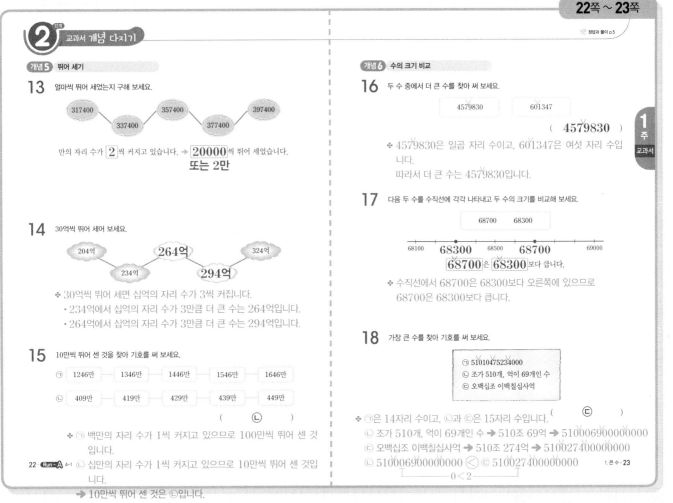

③ 교과서 **실력 다지기**

★ 수로 나타낼 때 0의 개수 구하기

1 다음을 수로 나타낼 때 0은 모두 몇 개인지 구해 보세요.

> 오천이백구억 팔천구만 육

답 **6개**

개념 되짚어보기
• 수로 나타낼 때 0의 개수 구하는 방법
① 일의 자리부터 네 자리씩 끊고 단위를 붙여 본 다음 수로 나타내어 봅니다.
② 0의 개수를 세어 봅니다.

❖ 오천이백구억 팔천구만 육 ➔ 5209억 8009만 6
➔ 520980090006
따라서 0은 모두 6개입니다.

1-1 다음을 수로 나타낼 때 0은 모두 몇 개인지 구해 보세요.

> 만이 4905개인 수

(**5개**)

❖ 만이 4905개인 수 ➔ 4905만 ➔ 49050000
따라서 0은 모두 5개입니다.

1-2 다음을 수로 나타낼 때 0은 모두 몇 개인지 구해 보세요.

> 억이 2306개, 만이 5개인 수

(**8개**)

❖ 억이 2306개, 만이 5개인 수 ➔ 2306억 5만
➔ 230600050000
따라서 0은 모두 8개입니다.

❖ • 6530만에서 10만 뛰어 센 수는 6540만이고,
6540만에서 10만 뛰어 센 수는 6550만입니다. ➔ ㉠=6550만

정답과 풀이 p.6

★ 뛰어 센 수 구하기

2 규칙에 따라 뛰어 센 것을 보고 ㉠과 ㉡에 알맞은 수를 구해 보세요.

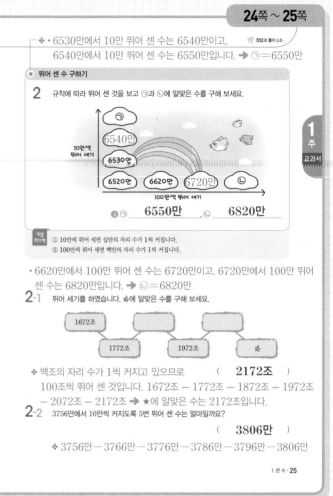

답 ㉠ **6550만** ㉡ **6820만**

개념 되짚어보기
① 10만씩 뛰어 세면 십만의 자리 수가 1씩 커집니다.
② 100만씩 뛰어 세면 백만의 자리 수가 1씩 커집니다.

• 6620만에서 100만 뛰어 센 수는 6720만이고, 6720만에서 100만 뛰어
센 수는 6820만입니다. ➔ ㉡=6820만

2-1 뛰어 세기를 하였습니다. ✿에 알맞은 수를 구해 보세요.

| 1672조 | | |
| 1772조 | 1972조 | ✿ |

❖ 백조의 자리 수가 1씩 커지고 있으므로   (**2172조**)
100조씩 뛰어 센 것입니다. 1672조 – 1772조 – 1872조 – 1972조
– 2072조 – 2172조 → ✿에 알맞은 수는 2172조입니다.

2-2 3756만에서 10만씩 커지도록 5번 뛰어 센 수는 얼마일까요?

(**3806만**)

❖ 3756만 – 3766만 – 3776만 – 3786만 – 3796만 – 3806만

---

③ 교과서 **실력 다지기**

정답과 풀이 p.6

★ □ 안에 들어갈 수 있는 수 구하기

3 □ 안에 들어갈 수 있는 수를 모두 찾아 ○표 하세요.

> 346548 > 3□6915

(⓪① ② ③ 4, 5)

개념 되짚어보기
• 수의 크기 비교 방법
① 자리 수가 같은지 다른지 비교해 봅니다.
② 자리 수가 같으면 가장 높은 자리부터 차례로 크기를 비교합니다.

❖ 십만의 자리 수가 서로 같으므로 □=4 또는 4>□입니다.
백의 자리 수를 비교하면 5<9이므로 □ 안에 들어갈 수는 4
보다 작아야 합니다.
따라서 □ 안에 들어갈 수 있는 수는 0, 1, 2, 3입니다.

3-1 0부터 9까지의 수 중에서 □ 안에 들어갈 수 있는 수를 모두 구해 보세요.

(1) 71□53 > 71738   (**7, 8, 9**)

(2) 38□625 < 383265   (**0, 1, 2**)

❖ (1) 만, 천의 자리 수가 같으므로 □=7 또는 □>7입니다.
십의 자리 수를 비교하면 5>3이므로 □ 안에 들어갈 수 있
는 수는 7, 8, 9입니다.

3-2 1부터 9까지의 수 중에서 □ 안에 들어갈 수 있는 수는 모두 몇 개일까요?

> □9362900 < 49351000

(**3개**)

❖ 두 수 모두 여덟 자리로 자리 수가 같으므로
□=4이거나 □<4입니다.
백만, 십만의 자리 수가 같고 만의 자리 수를 비교하면

6>5이므로 □ 안에 들어갈 수 있는 수는 4보다 작은 1,
2, 3으로 모두 3개입니다.

★ 돈은 모두 얼마인지 구하기

4 지우가 가진 모형 돈을 세어 보니 100만 원짜리가 5장, 10만 원짜리가 13장, 만 원
짜리가 15장이었습니다. 지우가 가진 모형 돈은 모두 얼마인지 구해 보세요.

100만 원짜리 5장:	**500** 만 원
10만 원짜리 13장:	**130** 만 원
만 원짜리 15장:	**15** 만 원
	645 만 원

답 **645만 원**

개념 되짚어보기
① 만이 10개이면 10만입니다.
② 10만이 10개이면 100만입니다.

4-1 혜윤이의 저금통에 들어 있는 돈은 오른쪽과 같습니다. 혜윤이의 저금통에 들어 있는 돈은 모두 얼마인지 구해 보세요.

> 10000원짜리 지폐 12장,
> 1000원짜리 지폐 56장,
> 100원짜리 동전 37개

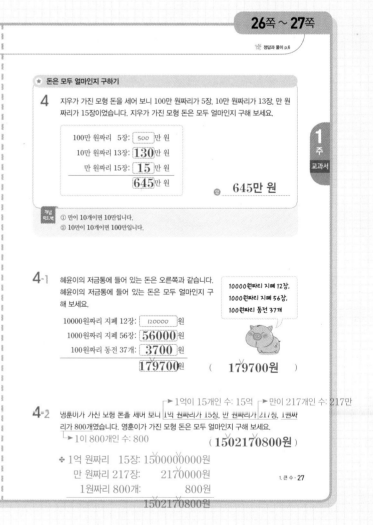

10000원짜리 지폐 12장:	**120000** 원
1000원짜리 지폐 56장:	**56000** 원
100원짜리 동전 37개:	**3700** 원
	179700 원

(**179700원**)

4-2 영훈이가 가진 모형 돈을 세어 보니 1억 원짜리가 15장, 만 원짜리가 217장, 1원짜
리가 800개였습니다. 영훈이가 가진 모형 돈은 모두 얼마인지 구해 보세요.

► 1억이 15개인 수: 15억   ► 만이 217개인 수: 217만
► 1이 800개인 수: 800

(**1502170800원**)

❖ 1억 원짜리 15장: 1500000000원
만 원짜리 217장: 2170000원
1원짜리 800개: 800원
1502170800원

③ 교과서 실력 다지기

정답과 풀이 p.7

★ 몇 번 뛰어 세는지 구하기

5 예서네 가족이 제주도 여행을 가는 데 250만 원이 필요합니다. 이번 달부터 매달 50만 원씩 모으려면 몇 개월이 걸리는지 구해 보세요.

0 ─ 50만 ─ 100만 ─ …… ─ 250만
(1개월) (2개월)   (2개월)

답 **5개월**

개념 피드백
• **몇 번 뛰어 세어야 목표에 도달하는지 구하는 방법**
① 얼마씩 뛰어 세어야 하는지 알아봅니다.
② 몇 번을 뛰어 세어야 하는지 알아봅니다.

❖ 0 ─ 50만 ─ 100만 ─ 150만 ─ 200만 ─ 250만
(1개월) (2개월) (3개월) (4개월) (5개월)

5 ➡ 250만 원을 모으는 데 5개월이 걸립니다.

5-1 우진이는 55000원짜리 장난감을 사기 위해 용돈을 모으려고 합니다. 지금 15000원이 있고 매달 만 원씩 모으려면 몇 개월이 걸리는지 구해 보세요.

지금 15000원이 있으니 몇 개월 동안 모으면 될까?

15000 ─ **25000** ─ **35000** ─ **45000** ─ 55000

(**4개월**)

❖ 15000부터 10000씩 4번 뛰어 세면 55000이 됩니다.
따라서 4개월 동안 돈을 모아야 합니다.

5-2 진주는 유기견 보호센터에 10만 원을 기부하기 위해 매달 10000원씩 모으려고 합니다. 10만 원을 모으려면 몇 개월이 걸리는지 구해 보세요.

(**10개월**)

❖ 0 ─ 10000 ─ 20000 ─ 30000 ─ 40000 ─ …… ─ 90000 ─ 100000
(1개월) (2개월) (3개월) (4개월)   (9개월) (10개월)

28 · Run-A 4-1 ➡ 10000씩 10번 뛰어 세면 10만이 되므로 10만 원을 모으려면 10개월이 걸립니다.

★ 조건을 만족하는 가장 큰 수, 가장 작은 수 만들기

6 수 카드를 한 번씩 사용하여 8자리 수를 만들려고 합니다. 십만의 자리 숫자가 3인 가장 큰 수는 얼마인지 구해 보세요.

8 1 3 4 0 7 9 5

(1) 십만의 자리에 3을 놓습니다. ▢▢ 3 ▢▢▢▢▢

(2) 십만의 자리 숫자가 3인 가장 큰 수를 만듭니다.
➡ 9 8 3 7 5 4 1 0

개념 피드백
• 수 카드로 가장 큰 수를 만들 때에는 가장 높은 자리부터 큰 수를 차례로 놓습니다.
• 수 카드로 가장 작은 수를 만들 때에는 가장 높은 자리부터 작은 수를 차례로 놓습니다.
단, 0은 가장 높은 자리에 놓지 않습니다.

❖ 십만의 자리에 먼저 3을 놓으면 ▢▢3▢▢▢▢▢입니다.
남은 자리에 가장 높은 자리부터 큰 수를 차례로 놓으면 98375410입니다.

6-1 0부터 9까지의 수 중에서 8개의 수를 골라 한 번씩 사용하여 8자리 수를 만들려고 합니다. 만들 수 있는 가장 큰 수와 가장 작은 수는 각각 얼마인지 구해 보세요.

가장 큰 수 9 8 7 6 5 4 3 2
가장 작은 수 1 0 2 3 4 5 6 7

❖ • 가장 큰 수는 가장 높은 자리부터 큰 수를 차례로 놓습니다.
• 가장 작은 수는 가장 높은 자리에 0이 아닌 1을 놓고, 그 다음 높은 자리부터 작은 수를 차례로 놓습니다.

6-2 수 카드를 모두 한 번씩 사용하여 9자리 수를 만들려고 합니다. 만의 자리 숫자가 9이고 백의 자리 숫자가 8인 수 중에서 가장 작은 수는 얼마인지 구해 보세요.

2 3 0 4 7 5 6 9 8

(203495867)

❖ 만의 자리에 9, 백의 자리에 8을 놓으면 ▢▢▢▢9▢8▢▢입니다.
가장 높은 자리에 0이 아닌 2를 놓고, 그 다음 높은 자리부터 작은 숫자를 차례로 놓습니다.

1. 큰 수 · 29

Test 교과서 서술형 연습

정답과 풀이 p.7

서술형 1 수직선에서 ㉠이 나타내는 수를 구해 보세요.

372억 ｜｜｜｜｜｜｜｜｜｜ 472억

해결하기 눈금 10칸이 나타내는 수는 472억-372억= **100억** 입니다.
눈금 한 칸이 나타내는 수는 **10억** 입니다.
㉠이 나타내는 수는 372억에서 **10억** 씩 **6** 번 뛰어 센 수이므로 **432억** 입니다.

답 구하기 **432억**

❖ 372억과 472억 사이에는 눈금이 10칸 있습니다.
➡ 눈금 10칸: 472억 - 372억 = 100억
100억은 10억이 10개인 수이므로 눈금 한 칸은 10억입니다.

서술형 2 수직선에서 ㉠이 나타내는 수를 구해 보세요.

521억 ｜｜｜｜｜｜｜｜｜｜ 541억

확인하기 예 눈금 10칸이 나타내는 수는
541억 - 521억 = 20억입니다.
눈금 한 칸이 나타내는 수는 2억입니다.
㉠이 나타내는 수는 521억에서 2억씩
5번 뛰어 센 수이므로 531억입니다.

답 구하기 **531억**

❖ 20억은 2억이 10개인 수이므로 눈금 한 칸은 2억입니다.

30 · Run-A 4-1

서술형 3 어떤 수에서 1000만씩 뛰어 세기를 3번 하였더니 다음과 같았습니다. 어떤 수는 얼마인지 구해 보세요.

어떤 수 ─ ▢ ─ ▢ ─ 7230만
(1000만) (1000만) (1000만)

해결하기 7230만에서 **1000만** 씩 거꾸로 3번 뛰어 셉니다.
7230만 ─ 6230만 ─ **5230만** ─ **4230만**
따라서 어떤 수는 **4230만** 입니다.

답 구하기 **4230만**

서술형 4 어떤 수에서 2000만씩 뛰어 세기를 4번 하였더니 6억 3000만이 되었습니다. 어떤 수는 얼마인지 구해 보세요.

어떤 수 ─ ▢ ─ ▢ ─ ▢ ─ 6억 3000만
(2000만) (2000만) (2000만) (2000만)

해결하기 예 6억 3000만에서 2000만씩 거꾸로 4번 뛰어 셉니다.
6억 3000만 ─ 6억 1000만 ─ 5억 9000만 ─
─ 5억 7000만 ─ 5억 5000만
따라서 어떤 수는 5억 5000만입니다.

답 구하기 **5억 5000만**

1. 큰 수 · 31

정답과 풀이 · **7**

PLAY 사고력 개념 스토리 박쥐를 잡아라

오래된 성이 으스스하네요.
무서운 박쥐들이 날아다니는 음침하고 더러운 성이 있어요.
박쥐의 배에 알맞은 붙임딱지를 붙여서 못된 박쥐들을 모두 내쫓아 봐요.
그리고 예쁘게 성을 다시 꾸미는 거예요!

2
주
사고력

PLAY 사고력 개념 스토리 가구 채우기

박쥐들이 사라지니 빈 성만 남았어요.
일단 깨끗하게 청소를 했더니 말끔해졌어요.
이제 가구를 사서 빈 성을 예쁘게 꾸며 보려고 해요.
가구의 가격을 계산하여 가격에 맞는 가구 붙임딱지를 알맞게 붙여 보세요.

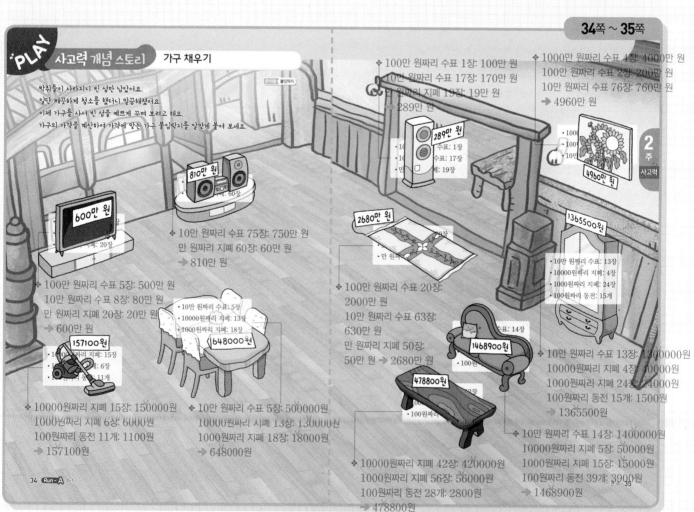

2
주
사고력

1단계 교과 사고력 잡기

1 다음은 보미네 아파트의 이번 달 가구별 전기 요금입니다. 전기 요금이 가장 적게 나온 가구가 보미네 집입니다. 보미네 집은 몇 호인지 찾아보세요.

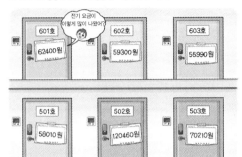

❶ 자리 수가 다른 가구는 몇 호일까요?

(**502호**)

❖ 120460은 여섯 자리 수이고, 나머지는 모두 다섯 자리 수입니다.

❷ 가장 적게 나온 전기 요금은 얼마일까요?

❖ 다섯 자리 수 중에서 가장 높은 (**55990원**)
자리의 수가 가장 작은 수는 59300, 55990, 58010입니다.
세 수 중에서 가장 작은 수는 55990이므로 가장 적게 나온
전기 요금은 55990원입니다.

❸ 보미네 집은 몇 호일까요?

(**603호**)

❖ 가장 적게 나온 전기 요금은 55990원이므로 보미네 집은
603호입니다.

36 · Run-A 4-1

2 정우와 채민이는 바구니에 들어 있는 공에 쓰여진 수를 모두 한 번씩만 사용하여 만의 자리 숫자가 5인 가장 큰 수를 만들었습니다. 누가 더 큰 수를 만들었는지 구해 보세요.

❶ 정우가 만든 여섯 자리 수를 구해 보세요.

(**856321**)

❖ 먼저 만의 자리에 5를 놓으면 □5□□□□입니다.
남은 자리에 가장 높은 자리부터 큰 수를 차례로 놓으면
856321입니다.
따라서 정우가 만든 여섯 자리 수는 856321입니다.

❷ 채민이가 만든 여섯 자리 수를 구해 보세요.

(**856410**)

❖ 먼저 만의 자리에 5를 놓으면 □5□□□□입니다.
남은 자리에 가장 높은 자리부터 큰 수를 차례로 놓으면
856410입니다.
따라서 채민이가 만든 여섯 자리 수는 856410입니다.

❸ 정우와 채민이 중에서 누가 더 큰 수를 만들었을까요?

(**채민**)

❖ 856321 < 856410
└─ 3 < 4 ─┘

1. 큰 수 · 37

1단계 교과 사고력 잡기

3 민기와 아름이는 어머니 생신 선물을 사기 위해 구경하고 있습니다. 두 사람의 대화를 보고 선물을 사려면 각각 몇 개월이 걸리는지 구해 보세요.

❶ 민기는 선물을 사기 위해 몇 개월을 저금해야 할까요?

(**6개월**)

❖ 0 ─ 10000 ─ 20000 ─ 30000 ─ 40000 ─ 50000 ─ 60000
(1개월) (2개월) (3개월) (4개월) (5개월) (6개월)
→ 10000씩 6번을 뛰어 세어야 60000이 되므로 6개월이 걸립니다.

❷ 아름이는 선물을 사기 위해 몇 개월을 저금해야 할까요?

(**5개월**)

❖ 0 ─ 2000 ─ 4000 ─ 6000 ─ 8000 ─ 10000
(1개월) (2개월) (3개월) (4개월) (5개월)
→ 2000씩 5번 뛰어 세어야 10000이 되므로 5개월이 걸립니다.

38 · Run-A 4-1

4 종서와 리라는 지금까지 모은 돈을 10000원짜리 지폐로 바꾸려고 합니다. 종서와 리라 중에서 누가 10000원짜리 지폐로 더 많이 바꿀 수 있는지 구해 보세요.

❶ 종서는 10000원짜리 지폐로 몇 장까지 바꿀 수 있을까요?

❖ 267000은 만이 26개, 일이 7000개인 수입니다. (**26장**)
따라서 10000원짜리 지폐로 26장까지 바꿀 수 있습니다.

❷ 리라가 모은 돈은 모두 얼마일까요?

❖ 1000원짜리 110장: 110000원 ┐ (**239000원**)
100원짜리 1290개: 129000원 ┘→ 239000원

❸ 리라는 10000원짜리 지폐로 몇 장까지 바꿀 수 있을까요?

❖ 239000은 만이 23개, 일이 9000개인 수입니다. (**23장**)
따라서 10000원짜리 지폐로 23장까지 바꿀 수 있습니다.

❹ 종서와 리라 중에서 누가 10000원짜리 지폐로 더 많이 바꿀 수 있을까요?

(**종서**)

❖ 종서는 26장, 리라는 23장까지 바꿀 수 있으므로 종서가 더
많이 바꿀 수 있습니다.

1. 큰 수 · 39

2단계 교과 사고력 확장

정답과 풀이 p.10

1 수를 마법 거울에 비추어 보면 보기와 같이 일정한 규칙으로 바뀌어 나타납니다. 마법 거울의 규칙을 찾아 거울에 알맞은 수를 써넣으세요.

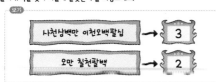

보기

사천남백만 이천오백팔십 → 3

오만 칠천팔백 → 2

❶ 팔백사십 오만 → 4

❖ 팔백사십오만 ➡ 8450000
0의 개수는 4개이므로 마법 거울에 나타나는 수는 4입니다.

❷ 일억 육천사백구십만 → 5

❖ 일억 육천사백구십만 ➡ 164900000
0의 개수는 5개이므로 마법 거울에 나타나는 수는 5입니다.

❸ 칠백구십이억 사천오백이십육만 → 4

❖ 칠백구십이억 사천오백이십육만 ➡ 79245260000
0의 개수는 4개이므로 마법 거울에 나타나는 수는 4입니다.

먼저 숫자로 써 본 다음 규칙을 찾아봐!

❹ 이백오십삼억 사만 → 7

❖ 이백오십삼억 사만 ➡ 25300040000
0의 개수는 7개이므로 마법 거울에 나타나는 수는 7입니다.

2 준호와 수미는 맛있는 간식과 놀이 기구가 있는 비밀의 방에 들어가려고 해요. 비밀의 방에 들어가기 위해서는 글자 암호를 입력해야 합니다. 주어진 힌트를 보고 암호를 써 보세요.

❶ 백만의 자리 숫자가 3인 수
(해) 22506345 (순) 80735941
✓(무) 83214706 (국) 52364670

❷ 10000을 나타내는 수
(가) 9999보다 10만큼 더 큰 수 → 10009 (바) 100이 10개인 수 → 1000
✓(간) 9000보다 100만큼 더 큰 수 → 9100 (한) 1000이 10개인 수 → 10000

❸ 가장 작은 수
(라) 690170248 ✓(도) 72415800
(이) 칠천이백사십만 → 72420000 (대) 90억

❹ 숫자 5가 5000000을 나타내는 수
(가) 74583160 → 500000 ✓(전) 25284806 → 5000000
(동) 89581024 → 500000 ✓(표) 50913328 → 50000000

❶	❷	❸	❹
무	한	도	전

1. 큰 수 · 41

2단계 교과 사고력 확장

정답과 풀이 p.10

3 다음은 일곱 자리 수가 적힌 종이가 찢어지고 남은 부분을 나타낸 것입니다. 종이에 적혀 있던 일곱 자리 수를 구해 보세요.

6754

• 200만보다 크고 300만보다 작은 수입니다.
• 각 자리의 숫자는 1부터 7까지의 수로 모두 다릅니다.
• 십만의 자리 숫자는 3입니다.
• 이 수는 홀수입니다.

❶ 위의 조건에 따라 일곱 자리 수를 다음과 같이 나타내었습니다. ㉠, ㉡, ㉢에 알맞은 수를 각각 구해 보세요.

| ㉠ | ㉡ | | | | | ㉢ |

㉠ (2), ㉡ (3), ㉢ (1)

❖ • 200만보다 크고 300만보다 작은 수이므로 ㉠은 2입니다.
• 십만의 자리 숫자가 3이므로 ㉡은 3입니다.
• 2367 5 4 와 23 6 7 5 4 중에서 홀수가 될 수 있는 수는 23 6 7 5 4㉢입니다.
홀수 1, 3, 5, 7 중에서 3, 5, 7은 사용한 수이므로 ㉢은 1입니다.

❷ 종이에 적혀 있던 일곱 자리 수는 얼마일까요?
(2367541)

❖ ㉠=2, ㉡=3, ㉢=1이므로 종이에 적혀 있던 일곱 자리 수는 2367541입니다.

4 다음은 고대 이집트에서 수를 표현한 방법입니다. 물음에 답하세요.

수	고대 이집트 숫자	설명
1		막대기 모양
10		말발굽 모양
100		밧줄을 둥그렇게 감은 모양
1000		나일강에 피어 있는 연꽃 모양
10000		하늘을 가리키는 손가락 모양
100000		나일강에 사는 올챙이 모양
1000000		너무 놀라 양손을 하늘로 들어 올린 사람 모양

❶ 고대 이집트 숫자를 보기와 같이 수로 나타내어 보세요.

보기 → 132453

→ (1230000)

❖ 1000000이 1개, 100000이 2개, 10000이 3개인 수이므로 1230000입니다.

❷ 관계있는 것끼리 선으로 이어 보세요.

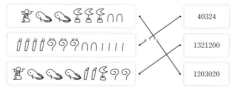

40324
1321200
1203020

1. 큰 수 · 43

③ 단계 교과 사고력 완성

평가 영역 ☐개념 이해력 ☐개념 응용력 ☑창의력 ☐문제 해결력

1 다음은 수 글자 카드를 모두 한 번씩 사용하여 만든 수입니다. 만든 수를 숫자로 써 보세요.

| 억 | 칠 | 만 | 백 | 팔 |

❶ | 백 | 억 | 팔 | 만 | 칠 |
→ | 1 | 0 | 0 | 0 | 0 | 0 | 0 | 8 | 0 | 0 | 0 | 7 |

❷ | 칠 | 백 | 억 | 팔 | 만 |
→ | 7 | 0 | 0 | 0 | 0 | 0 | 0 | 8 | 0 | 0 | 0 | 0 |

2 주어진 수 글자 카드를 한 번씩 모두 사용하여 만들 수 있는 가장 큰 수를 만들고, 만든 수를 숫자로 써 보세요.

| 백 | 억 | 오 | 천 | → | 오 | 천 | 백 | 억 |
(510000000000)

✤ 수 글자 카드에서 자리의 단위가 있는 글자는 '억'입니다.
억을 제외한 나머지 숫자로 가장 큰 수를 만들면 오천백이므로
단위를 붙여 가장 큰 수를 만들면 오천백억입니다.

먼저 가장 큰 단위의 글자를 찾아봐요.
→ 510000000000

---

3 다음은 모든 나라들이 공통으로 사용하고 있는 보조 단위입니다. 헤르츠(Hz)는 주파수의 단위로 1Hz는 1초에 1번 진동함을 의미합니다. 다음을 보고 각 단위에 따라 수가 어떻게 변하는지 알아보세요.

평가 영역 ☐개념 이해력 ☑개념 응용력 ☐창의력 ☐문제 해결력

단위	기호	나타내는 수	단위	기호	나타내는 수
킬로	K	1000	테라	T	1조
메가	M	100만	페타	P	1000조
기가	G	10억	엑사	E	100경

❶ 1기가헤르츠(GHz)는 몇 메가헤르츠(MHz)인지 구해 보세요.

(**1000**) 메가헤르츠(MHz)

✤ 메가는 100만을 나타내고 기가는 10억을 나타내므로 기가는 메가의 1000배입니다.
따라서 1기가헤르츠(GHz)=1000메가헤르츠(MHz)입니다.

❷ 1기가헤르츠(GHz)는 몇 헤르츠(Hz)인지 구해 보세요.

(**1000000000**) 헤르츠(Hz)

✤ 기가(G)는 10억을 나타내므로
1기가헤르츠(GHz)=1000000000헤르츠(Hz)입니다.

킬로, 메가, 기가, 테라, 페타, 엑사는 단위가 커질 때마다 숫자 0이 3개씩 늘어나요.

2주 사고력

Test 종합평가
1. 큰 수
틀린 개수

1 10000을 나타내는 수가 아닌 것을 찾아 기호를 써 보세요.

㉠ 100이 100개인 수   ㉡ 9900보다 100만큼 더 큰 수
㉢ 999보다 1만큼 더 큰 수   ㉣ 10이 1000개인 수

(㉢)

✤ ㉢ 999보다 1만큼 더 큰 수는 1000입니다.
→ 10000은 9999보다 1만큼 더 큰 수입니다.

2 다음을 수로 나타내어 써 보세요.

(1) 칠만 이천오백이십구 → (**72529**)

(2) 이백오만 육천백삼십 → (**2056130**)

✤ (1) 칠만 이천오백이십구 → 7만 2529 → 72529
(2) 이백오만 육천백삼십 → 205만 6130 → 2056130

3 각 자리의 숫자가 나타내는 값의 합으로 나타내어 보세요.

62594= **60000** +2000+ **500** + **90** + **4**

4 숫자 3이 나타내는 값을 각각 써 보세요.

6321037
㉠ ㉡

㉠ (**300000**), ㉡ (**30**)

✤ ㉠은 십만의 자리 숫자이므로 300000을, ㉡은 십의 자리 숫자이므로 30을 나타냅니다.

5 설명하는 수가 얼마인지 써 보세요.

(1) 만이 1570개, 일이 659개인 수

(**15700659**)

(2) 억이 13개, 만이 309개, 일이 7228개인 수

(**1303097228**)

✤ (1) 만이 1570개, 일이 659개인 수
→ 1570만 659 → 15700659
(2) 억이 13개, 만이 309개, 일이 7228개
→ 13억 309만 7228 → 1303097228

6 뛰어 세기를 하여 빈 곳에 알맞은 수를 써넣으세요.

(1) | 5200만 | 5300만 | **5400만** | 5500만 | **5600만** |

(2) | 9960억 | **9970억** | 9980억 | 9990억 | **1조** |

✤ (1) 백만의 자리 수가 1씩 커지므로 100만씩 뛰어 센 것입니다.
(2) 십억의 자리 수가 1씩 커지므로 10억씩 뛰어 센 것입니다.

7 얼마씩 뛰어 세었는지 써 보세요.

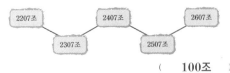
2207조   2407조   2607조
2307조   2507조

(**100조**)

✤ 백조의 자리 수가 1씩 커지고 있으므로 100조씩 뛰어 세었습니다.

2주 평가

Test 종합평가 1. 큰 수

정답과 풀이 p.12

8 숫자 8이 나타내는 값이 가장 큰 수를 찾아 써 보세요.

| 28073 | 86175 | 40581 | 37852 |

(**86175**)

❖ 같은 숫자라도 자리에 따라 나타내는 값이 다릅니다.
28073 ➔ 8000, 86175 ➔ 80000, 40581 ➔ 80,
37852 ➔ 800
따라서 숫자 8이 나타내는 값이 가장 큰 수는 86175입니다.

9 숫자 5가 나타내는 값이 500000인 것은 어느 것일까요?·········· (④)

5105452592537
① ② ③ ④ ⑤

❖ 500000(50만)이므로 십만의 자리 숫자를 찾습니다.

10 두 수의 크기를 비교하여 ◯ 안에 >, =, <를 알맞게 써넣으세요.

(1) 58204 ◁ 301274
  다섯 자리 수 여섯 자리 수
(2) 38억 6400만 ◁ 38억 7000만
  └─── 6 < 7 ───┘

11 수 카드를 모두 한 번씩만 사용하여 가장 큰 여섯 자리 수를 만들어 보세요.

7 0 2 4 8 5

맨 앞에 쓰면 안 되는 수예요!◀─┤ 가장 큰 수◀─┤ **875420**)

❖ 가장 큰 수를 만들려면 가장 높은 자리부터 큰 수를 차례로 놓으
면 됩니다. 따라서 8>7>5>4>2>0이므로 만들 수 있는
가장 큰 여섯 자리 수는 875420입니다.

48 · Run-Ⓐ 4-1

12 다음을 수로 나타낼 때 0은 모두 몇 개일까요?

백이십구조 오천팔백억

(**10개**)

❖ 백이십구조 오천팔백억 ➔ 129조 5800억
➔ 129580000000000
따라서 0을 모두 10개입니다.

13 어떤 수에서 100만씩 4번 뛰어 세었더니 다음과 같았습니다. 어떤 수는 얼마인지 구해 보세요.

| 어떤 수 |─| |─| |─| |─| 705만 |

(**305만**)

❖ 705만에서 100만씩 거꾸로 4번 뛰어 세면
705만 − 605만 − 505만 − 405만 − 305만입니다.

14 ㉠이 나타내는 값은 ㉡이 나타내는 값의 몇 배인지 써 보세요.

59732724000
㉠   ㉡

(**1000배**)

❖ ㉠은 억의 자리 숫자이므로 700000000을 나타내고
㉡은 십만의 자리 숫자이므로 700000을 나타냅니다.
따라서 ㉠이 나타내는 값은 ㉡이 나타내는 값의 1000배입니다.

15 0부터 9까지의 수 중에서 □ 안에 들어갈 수 있는 수를 모두 구해 보세요.

806□2400000 > 80665900000

(**7, 8, 9**)

❖ 두 수 모두 11자리로 자리 수가 같습니다.
백억, 십억, 억의 자리 수가 같고, 백만의 자리 수를 비교하면
2<5이므로 □ 안에는 6보다 큰 수가 들어가야 합니다.
따라서 □ 안에 들어갈 수 있는 수는 7, 8, 9입니다.

1. 큰 수 · 49

Test 종합평가 1. 큰 수

정답과 풀이 p.12

16 종훈이가 1년 동안 모은 돈입니다. 모두 얼마인지 구해 보세요.

10000원짜리 지폐: 23장
1000원짜리 지폐: 5장
100원짜리 동전: 56개
10원짜리 동전: 7개

(**240670원**)

❖ 10000원짜리 23장: 230000원
1000원짜리 5장: 5000원
100원짜리 56개: 5600원
10원짜리 7개: 70원
              240670원

17 수 카드를 모두 한 번씩만 사용하여 8억보다 큰 수를 만들고 수를 읽어 보세요.

0 1 2 3 4 5 6 7 8

쓰기 ((예) **801234567**)
읽기 (예) **팔억 백이십삼만 사천오백육십칠**

❖ 먼저 억의 자리에 8을 놓고 나머지 자리에 수 카드를 놓습니다.

18 지수 어머니께서 은행에 예금한 돈 25170000원을 찾으려고 합니다. 100만 원짜리
수표는 몇 장까지 찾을 수 있는지 구해 보세요.

(**25장**)

❖ 25170000원은 2517만 원이므로 100만 원짜리 수표로는
2500만 원까지 찾을 수 있습니다.
따라서 100만 원짜리 수표로 25장까지 찾을 수 있습니다.

50 · Run-Ⓐ 4-1

특강 창의·융합 사고력

정답과 풀이 p.12

❶ 2018년 전 세계 쌀 수출액은 246억 달러에 달했습니다. 전 세계에서 쌀 수출을 가장
많이 한 나라는 인도로 수출량이 125억 kg입니다. 다음은 2018년도 주요 쌀 수출
국가와 쌀 수출량을 나타낸 것입니다. 물음에 답하세요.

2018년도 주요 쌀 수출국의 쌀 수출량

인도	태국	베트남

12500000000 kg	백이억 kg	67억 kg

(1) 쌀 수출량이 많은 나라부터 차례로 써 보세요.
❖ 태국: 10200000000 kg.   (**인도, 태국, 베트남**)
베트남: 6700000000 kg
12500000000 > 10200000000 > 6700000000이므로
쌀 수출량이 많은 나라부터 차례로 쓰면 인도, 태국, 베트남입니다.

(2) 위 (1)에서 쌀 수출량이 가장 적은 나라의 쌀을 10000 kg씩 나누어 컨테이너
에 모두 담을 때 필요한 컨테이너는 모두 몇 개인지 구해 보세요.

(**670000개**)

❖ 쌀 수출량이 가장 적은 나라는 베트남으로 수출량은
6700000000 kg입니다.
6700000000은 10000이 670000개인 수이므로 10000 kg씩
나누어 담을 때 필요한 컨테이너는 모두 670000개입니다.

1. 큰 수 · 51

2 각도

각도의 기준

제자리에서 한 바퀴 빙 돌 때 우리는 360°(360도) 돌았다고 합니다. 한 바퀴 회전이 360°이기 때문이죠.
한 바퀴를 350°도 아니고 400°도 아니고 왜 360°로 정한 것일까요?
400°로 정했다면 계산이 더 쉬워질 것도 같은데 말이죠. 한 바퀴가 360°가 된 이유를 알아봅시다.

🌟 360°(360도)의 유래

한 바퀴는 왜 360°일까요? 360°의 유래가 바빌로니아 사람들에 의한 것이라는 설이 있습니다.
지금으로부터 약 4000년 전 지금의 이라크, 시리아, 이스라엘 등의 나라가 자리 잡고 있는
땅에 바빌로니아라고 하는 수준 높은 문명을 이룩한 나라가 있었습니다.

바빌로니아 사람들은 주로 농사를 짓고 살았고 농작물을 경작하기 위해 시간을 측정할 필요가 생겼습니다.
그들은 매일 뜨고 지는 태양의 위치가 하루하루 규칙적으로 변한다는 사실과 대략 360일이 지나서야 처음의 자리로 돌아온다는 것을 깨달았습니다.

그래서 바빌로니아 사람들은 1년을 360일로 나타내었습니다. 이때 달력을 원 모양으로 만들었기 때문에
그때부터 한 바퀴는 360°가 되었습니다. 이후 1년이 360일이 아니라는 것이 밝혀지며 바뀌었지만 한 바퀴는 여전히 360°로 나타내고 있습니다.

바빌로니아 사람들이 사용한 원 모양의 달력입니다. 달력을 똑같이 12달로 나누어 보세요.

바빌로니아 사람들이 사용한 원 모양의 달력입니다. 달력을 똑같이 사계절로 나누어 보세요.

1단계 교과서 개념 잡기

개념 1 각의 크기 비교하기

→ 두 변이 더 많이 벌어져 있는 ㉮의 각의 크기가 더 큽니다.

개념 2 각도 알아보기

- 각도: 각의 크기
- 직각을 똑같이 90으로 나눈 것 중 하나
- 직각: 90°

각도기를 이용하여 각도 재기

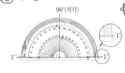

① 각도기의 중심을 각의 꼭짓점에 맞춥니다.
② 각도기의 밑금을 각의 한 변에 맞춥니다.
③ 각의 나머지 변과 만나는 각도기의 눈금을 읽습니다.

각도 읽기

각의 한 변이 안쪽 눈금 0에 맞춰져 있으면 안쪽 눈금을 읽습니다.
→ 140°

각의 한 변이 바깥쪽 눈금 0에 맞춰져 있으면 바깥쪽 눈금을 읽습니다.
→ 40°

개념 확인 문제

1-1 가장 크게 벌어진 부채에 ○표 하세요.

( ) (○) ( )

1-2 두 각 중에서 더 큰 각을 찾아 ○표 하세요.

(○) ( )

✛ 두 변의 벌어진 정도가 클수록 큰 각입니다.

2-1 각도기를 이용하여 각도를 바르게 잰 것을 찾아 기호를 써 보세요.

(㉯)

✛ 각도기의 중심을 각의 꼭짓점에 맞추고 각도기의 밑금을 각의 한 변에 맞춘 것을 찾습니다.

2-2 각도를 구해 보세요.

(1) (2)

(120°) (30°)

✛ (1) 각의 한 변이 바깥쪽 눈금 0에 맞춰져 있으므로 바깥쪽 눈금을 읽습니다.

(2) 각의 한 변이 안쪽 눈금 0에 맞춰져 있으므로 안쪽 눈금을 읽습니다.

정답과 풀이 · 13

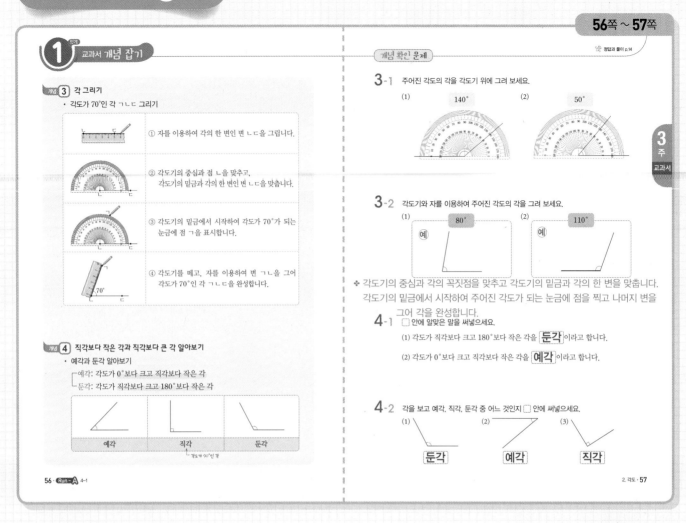

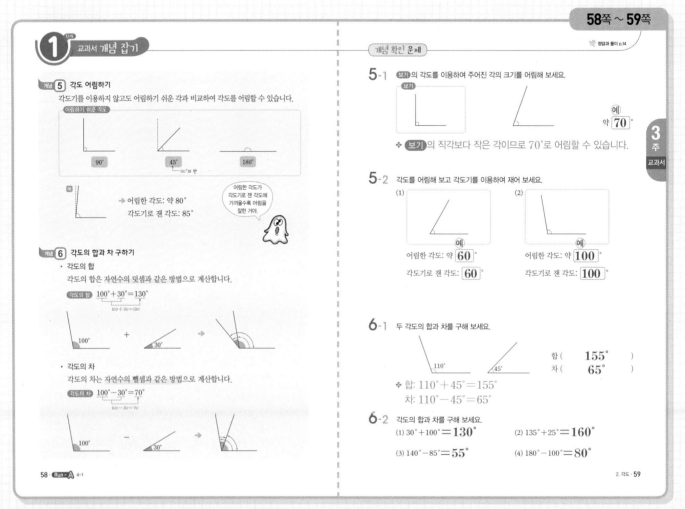

정답과 풀이 p.15

1 교과서 개념 잡기

개념 7 삼각형의 세 각의 크기의 합

• 각도기로 재어 알아보기

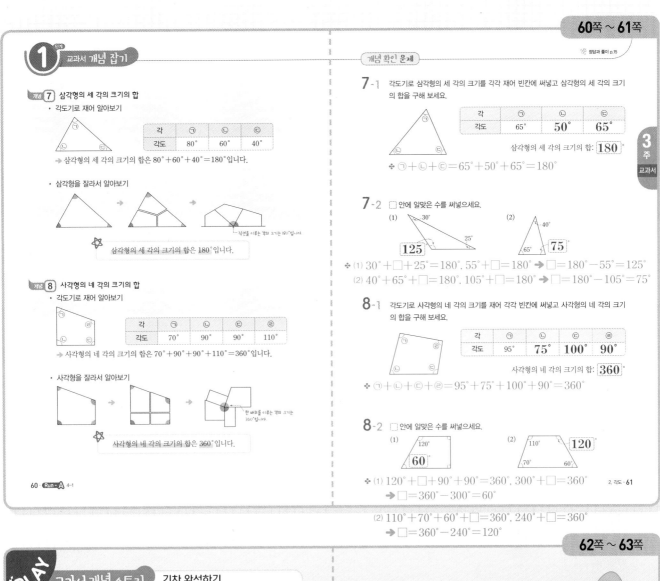

각	㉠	㉡	㉢
각도	80°	60°	40°

➡ 삼각형의 세 각의 크기의 합은 80°+60°+40°=180°입니다.

• 삼각형을 잘라서 알아보기

직선을 이루는 각의 크기는 180°입니다.

★ 삼각형의 세 각의 크기의 합은 180°입니다.

개념 8 사각형의 네 각의 크기의 합

• 각도기로 재어 알아보기

각	㉠	㉡	㉢	㉣
각도	70°	90°	90°	110°

➡ 사각형의 네 각의 크기의 합은 70°+90°+90°+110°=360°입니다.

• 사각형을 잘라서 알아보기

한 바퀴를 이루는 각의 크기는 360°입니다.

★ 사각형의 네 각의 크기의 합은 360°입니다.

60 · Run-A 4-1

개념 확인 문제

7-1 각도기로 삼각형의 세 각의 크기를 각각 재어 빈칸에 써넣고 삼각형의 세 각의 크기의 합을 구해 보세요.

각	㉠	㉡	㉢
각도	65°	**50°**	65°

삼각형의 세 각의 크기의 합: **180**°

❖ ㉠+㉡+㉢=65°+50°+65°=180°

7-2 ☐ 안에 알맞은 수를 써넣으세요.

(1) **125**   (2) **75**

❖ (1) 30°+☐+25°=180°, 55°+☐=180° ➡ ☐=180°-55°=125°
❖ (2) 40°+65°+☐=180°, 105°+☐=180° ➡ ☐=180°-105°=75°

8-1 각도기로 사각형의 네 각의 크기를 각각 재어 빈칸에 써넣고 사각형의 네 각의 크기의 합을 구해 보세요.

각	㉠	㉡	㉢	㉣
각도	95°	**75°**	**100°**	**90°**

사각형의 네 각의 크기의 합: **360**°

❖ ㉠+㉡+㉢+㉣=95°+75°+100°+90°=360°

8-2 ☐ 안에 알맞은 수를 써넣으세요.

(1) **60**   (2) **120**

❖ (1) 120°+☐+90°+90°=360°, 300°+☐=360°
➡ ☐=360°-300°=60°

(2) 110°+70°+60°+☐=360°, 240°+☐=360°
➡ ☐=360°-240°=120°

2. 각도 · 61

PLAY 교과서 개념 스토리   기차 완성하기

붙임딱지

기차역에 3대의 기차가 출발을 준비하고 있습니다.
예각 기차, 직각 기차, 둔각 기차를 완성하면 기차가 출발합니다. 기차가 출발할 수 있도록 알맞은 창문 붙임딱지와 바퀴 붙임딱지를 붙여 보세요.

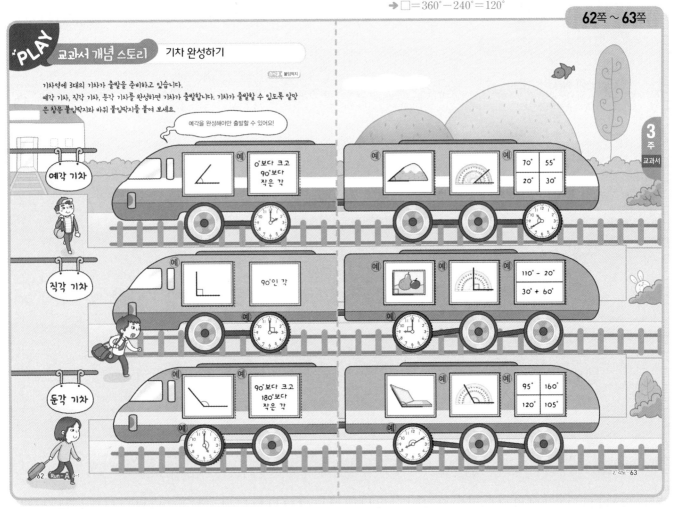

예각을 완성해야만 출발할 수 있어!

예각 기차 — 0°보다 크고 90°보다 작은 각 / 70° 55° 20° 30°

직각 기차 — 90°인 각 / 110° - 20° 30° + 60°

둔각 기차 — 90°보다 크고 180°보다 작은 각 / 95° 160° 120° 105°

62 · Run-A 4-1

2. 각도 · 63

PLAY 교과서 개념 스토리 | 삼각형과 사각형 완성하기

저런! 물감을 쏟아 삼각형의 일부가 보이지 않아요.
보기와 같이 나머지 한 각의 크기를 구하고 각도 붙임딱지를 붙여 삼각형을 완성해 보세요.

사각형에도 물감을 쏟아 사각형의 일부가 보이지 않아요.
사각형의 나머지 한 각의 크기를 구하고 각도 붙임딱지를 붙여 사각형을 완성해 보세요.

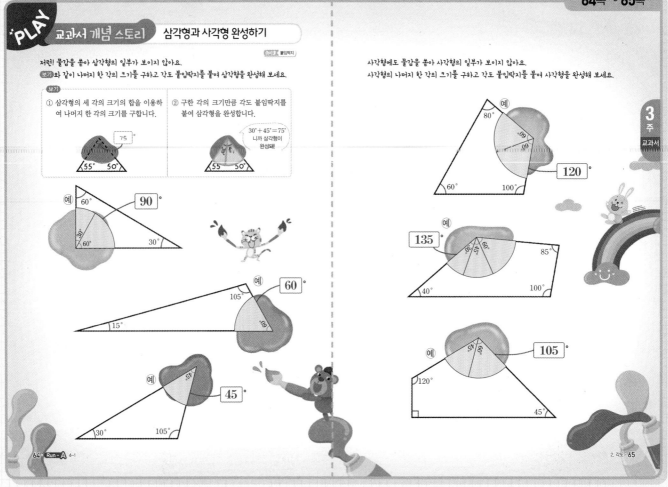

3주 교과서

2단계 교과서 개념 다지기

정답과 풀이 p.16

개념1 각의 크기 비교하기

01 각의 크기가 큰 각부터 차례대로 번호를 써 보세요.

❖ 각의 크기는 두 변의 벌어진 정도가 클수록 큰 각입니다.

02 색종이로 만든 부채를 펼친 것입니다. 가장 큰 각을 찾아 기호를 써 보세요.

(㉠)

❖ 가장 넓게 펼쳐진 부채의 각이 가장 큽니다.

03 보기의 각보다 더 큰 각과 더 작은 각을 각각 그려 보세요.

❖ 보기의 각보다 두 변이 더 많이 벌어진 각과 더 적게 벌어진 각을 각각 그려 봅니다.

개념2 각도 알아보기 / 각 그리기

04 다음 각의 크기를 잴 때 각도기의 60°와 120° 중 어느 것을 읽어야 할까요?

(120°)

❖ 각의 한 변이 안쪽 눈금 0에 맞춰져 있습니다. 따라서 안쪽 눈금인 120°를 읽어야 합니다.

05 각도기를 이용하여 각도를 재어 보세요.

(1) 75   (2) 115

06 각도기를 이용하여 시소에서 볼 수 있는 각도를 재어 보세요.

180

07 각도기와 자를 이용하여 각도가 55°인 각 ㄱㄴㄷ을 그리려고 합니다. 각을 그리는 순서대로 기호를 써 보세요.

라 → 가 → 다 → 나

3주 교과서

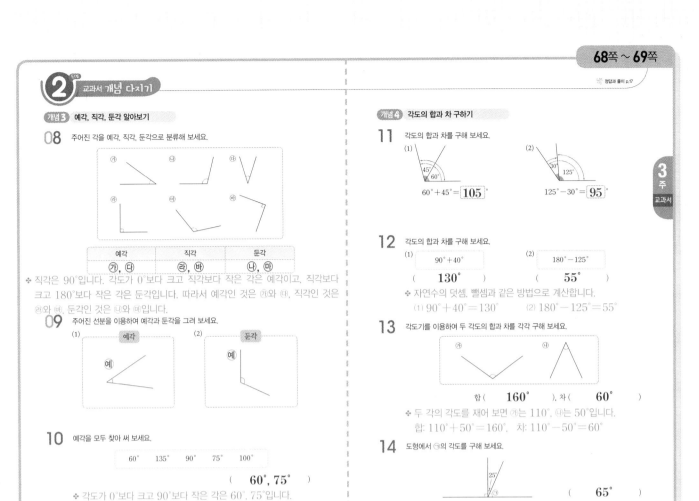

② 단계 교과서 개념 다지기

개념3 예각, 직각, 둔각 알아보기

08 주어진 각을 예각, 직각, 둔각으로 분류해 보세요.

예각	직각	둔각
㉮, ㉯	㉰, ㉲	㉱, ㉳

❖ 직각은 90°입니다. 각도가 0°보다 크고 직각보다 작은 각은 예각이고, 직각보다 크고 180°보다 작은 각은 둔각입니다. 따라서 예각인 것은 ㉮와 ㉯, 직각인 것은 ㉰와 ㉲, 둔각인 것은 ㉱와 ㉳입니다.

09 주어진 선분을 이용하여 예각과 둔각을 그려 보세요.

(1) 예각

(2) 둔각

10 예각을 모두 찾아 써 보세요.

60°   135°   90°   75°   100°

(**60°, 75°**)

❖ 각도가 0°보다 크고 90°보다 작은 각은 60°, 75°입니다.

개념4 각도의 합과 차 구하기

11 각도의 합과 차를 구해 보세요.

(1) 60° + 45° = **105**°

(2) 125° − 30° = **95**°

12 각도의 합과 차를 구해 보세요.

(1) 90° + 40°
(**130°**)

(2) 180° − 125°
(**55°**)

❖ 자연수의 덧셈, 뺄셈과 같은 방법으로 계산합니다.
(1) 90° + 40° = 130°   (2) 180° − 125° = 55°

13 각도기를 이용하여 두 각도의 합과 차를 각각 구해 보세요.

합 (**160°**), 차 (**60°**)

❖ 두 각의 각도를 재어 보면 ㉮는 110°, ㉯는 50°입니다.
합: 110° + 50° = 160°, 차: 110° − 50° = 60°

14 도형에서 ㉠의 각도를 구해 보세요.

(**65°**)

❖ 직선이 이루는 각도는 180°입니다.
➡ 90° + 25° + ㉠ = 180°, 115° + ㉠ = 180°
➡ ㉠ = 180° − 115° = 65°

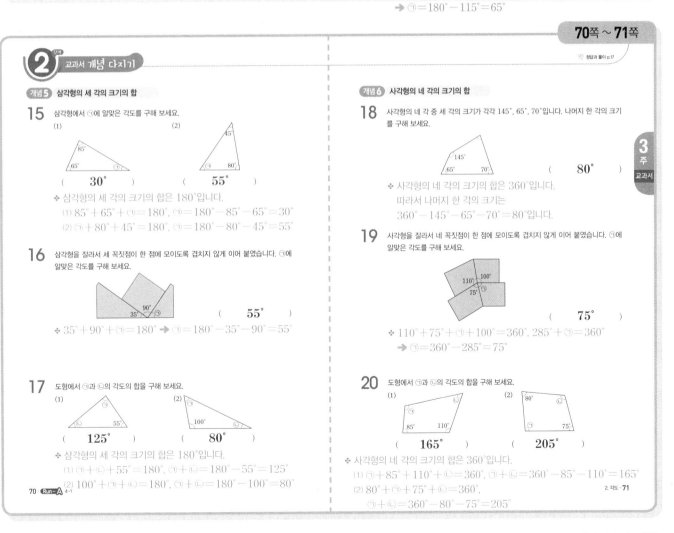

② 단계 교과서 개념 다지기

개념5 삼각형의 세 각의 크기의 합

15 삼각형에서 ㉠에 알맞은 각도를 구해 보세요.

(1) 85°, 65°
(**30°**)

(2) 45°, 80°
(**55°**)

❖ 삼각형의 세 각의 크기의 합은 180°입니다.
(1) 85° + 65° + ㉠ = 180°, ㉠ = 180° − 85° − 65° = 30°
(2) ㉠ + 80° + 45° = 180°, ㉠ = 180° − 80° − 45° = 55°

16 삼각형을 잘라서 세 꼭짓점이 한 점에 모이도록 겹치지 않게 이어 붙였습니다. ㉠에 알맞은 각도를 구해 보세요.

(**55°**)

❖ 35° + 90° + ㉠ = 180° ➡ ㉠ = 180° − 35° − 90° = 55°

17 도형에서 ㉠과 ㉡의 각도의 합을 구해 보세요.

(1) 55°
(**125°**)

(2) 100°
(**80°**)

❖ 삼각형의 세 각의 크기의 합은 180°입니다.
(1) ㉠ + ㉡ + 55° = 180°, ㉠ + ㉡ = 180° − 55° = 125°
(2) 100° + ㉠ + ㉡ = 180°, ㉠ + ㉡ = 180° − 100° = 80°

개념6 사각형의 네 각의 크기의 합

18 사각형의 네 각 중 세 각의 크기가 각각 145°, 65°, 70°입니다. 나머지 한 각의 크기를 구해 보세요.

(**80°**)

❖ 사각형의 네 각의 크기의 합은 360°입니다.
따라서 나머지 한 각의 크기는
360° − 145° − 65° − 70° = 80°입니다.

19 사각형을 잘라서 네 꼭짓점이 한 점에 모이도록 겹치지 않게 이어 붙였습니다. ㉠에 알맞은 각도를 구해 보세요.

(**75°**)

❖ 110° + 75° + ㉠ + 100° = 360°, 285° + ㉠ = 360°
➡ ㉠ = 360° − 285° = 75°

20 도형에서 ㉠과 ㉡의 각도의 합을 구해 보세요.

(1) 85°, 110°
(**165°**)

(2) 80°, 75°
(**205°**)

❖ 사각형의 네 각의 크기의 합은 360°입니다.
(1) ㉠ + 85° + 110° + ㉡ = 360°, ㉠ + ㉡ = 360° − 85° − 110° = 165°
(2) 80° + ㉠ + 75° + ㉡ = 360°,
㉠ + ㉡ = 360° − 80° − 75° = 205°

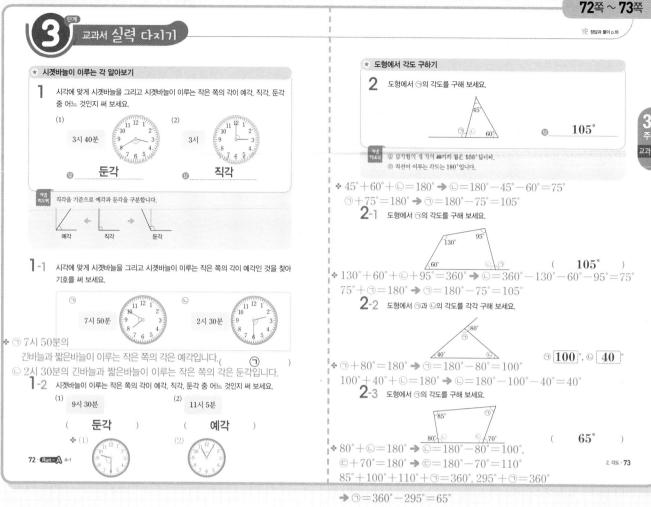

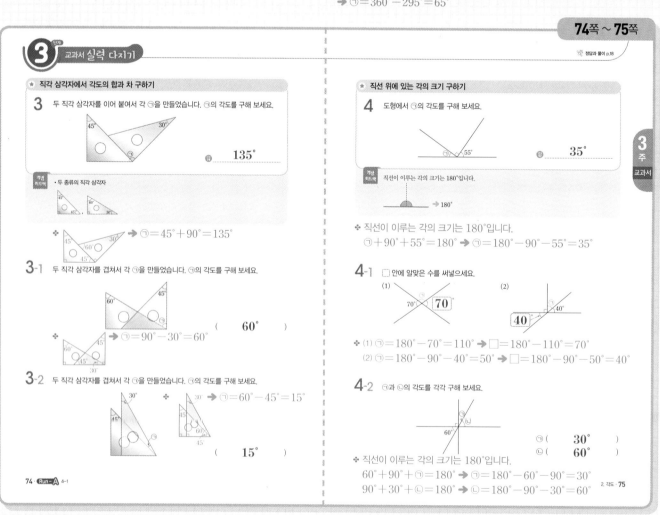

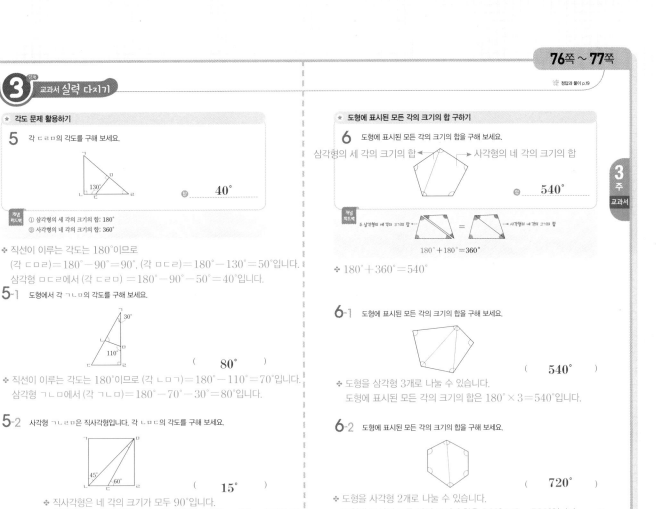

3단계 교과서 실력 다지기

★ 각도 문제 활용하기

5 각 ㄷㄹㅁ의 각도를 구해 보세요.

답 **40°**

개념 리마인드
① 삼각형의 세 각의 크기의 합: 180°
② 사각형의 네 각의 크기의 합: 360°

❖ 직선이 이루는 각도는 180°이므로
(각 ㅁㄹㄹ)=180°−90°=90°, (각 ㅁㄷㄹ)=180°−130°=50°입니다.
삼각형 ㅁㄷㄹ에서 (각 ㄷㄹㅁ)=180°−90°−50°=40°입니다.

5-1 도형에서 각 ㄱㄴㅁ의 각도를 구해 보세요.

(**80°**)

❖ 직선이 이루는 각도는 180°이므로 (각 ㄴㅁㄱ)=180°−110°=70°입니다.
삼각형 ㄱㄴㅁ에서 (각 ㄱㄴㅁ)=180°−70°−30°=80°입니다.

5-2 사각형 ㄱㄴㄹㅁ은 직사각형입니다. 각 ㄴㅁㄷ의 각도를 구해 보세요.

(**15°**)

❖ 직사각형은 네 각의 크기가 모두 90°입니다.
삼각형 ㄱㄴㅁ에서 (각 ㄱㄴㅁ)=180°−90°−45°=45°입니다.
삼각형 ㅁㄷㄹ에서 (각 ㄷㅁㄹ)=180°−60°−90°=30°입니다.

→ (각 ㄴㅁㄷ)=90°−45°−30°=15°

76 · Run-A 4-1

★ 도형에 표시된 모든 각의 크기의 합 구하기

6 도형에 표시된 모든 각의 크기의 합을 구해 보세요.

삼각형의 세 각의 크기의 합 ← → 사각형의 네 각의 크기의 합

답 **540°**

개념 리마인드
두 삼각형의 세 각의 합 ← = → 사각형의 네 각의 크기의 합
180°+180°=360°

❖ 180°+360°=540°

6-1 도형에 표시된 모든 각의 크기의 합을 구해 보세요.

(**540°**)

❖ 도형을 삼각형 3개로 나눌 수 있습니다.
도형에 표시된 모든 각의 크기의 합은 180°×3=540°입니다.

6-2 도형에 표시된 모든 각의 크기의 합을 구해 보세요.

(**720°**)

❖ 도형을 사각형 2개로 나눌 수 있습니다.
도형에 표시된 모든 각의 크기의 합은 360°×2=720°입니다.

2. 각도 · 77

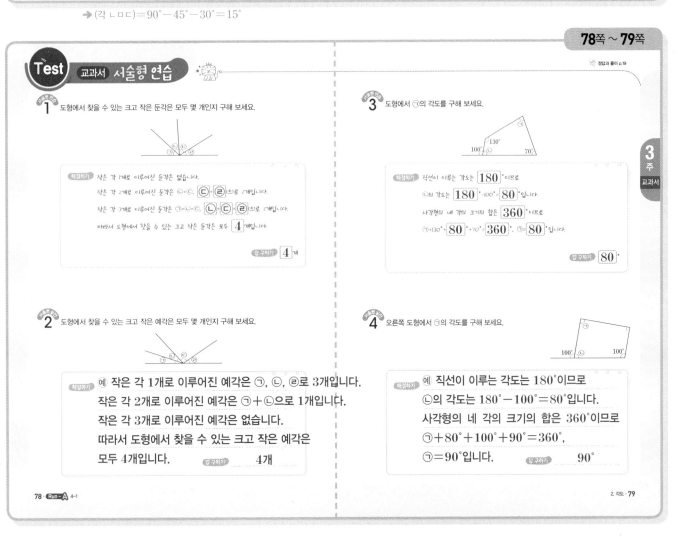

Test 교과서 서술형 연습

1 도형에서 찾을 수 있는 크고 작은 둔각은 모두 몇 개인지 구해 보세요.

해결하기 작은 각 1개로 이루어진 둔각은 없습니다.
작은 각 2개로 이루어진 둔각은 ㄴ+ㄷ, ㄷ+ㄹ 으로 2개입니다.
작은 각 3개로 이루어진 둔각은 ㄱ+ㄴ+ㄷ, ㄴ+ㄷ+ㄹ 으로 2개입니다.
따라서 도형에서 찾을 수 있는 크고 작은 둔각은 모두 4개입니다.

답 구하기 **4** 개

2 도형에서 찾을 수 있는 크고 작은 예각은 모두 몇 개인지 구해 보세요.

예 작은 각 1개로 이루어진 예각은 ㄱ, ㄴ, ㄹ로 3개입니다.
작은 각 2개로 이루어진 예각은 ㄱ+ㄴ으로 1개입니다.
작은 각 3개로 이루어진 예각은 없습니다.
따라서 도형에서 찾을 수 있는 크고 작은 예각은
모두 4개입니다. 답 구하기 **4개**

78 · Run-A 4-1

3 도형에서 ㄱ의 각도를 구해 보세요.

해결하기 직선이 이루는 각도는 **180**°이므로
ㄴ의 각도는 **180**°−100°=**80**°입니다.
사각형의 네 각의 크기의 합은 **360**°이므로
ㄱ+130°+**80**°+70°=**360**°, ㄱ=**80**°입니다.

답 구하기 **80**°

4 오른쪽 도형에서 ㄱ의 각도를 구해 보세요.

예 직선이 이루는 각도는 180°이므로
ㄴ의 각도는 180°−100°=80°입니다.
사각형의 네 각의 크기의 합은 360°이므로
ㄱ+80°+100°+90°=360°,
ㄱ=90°입니다. 답 구하기 **90°**

2. 각도 · 79

정답과 풀이 · **19**

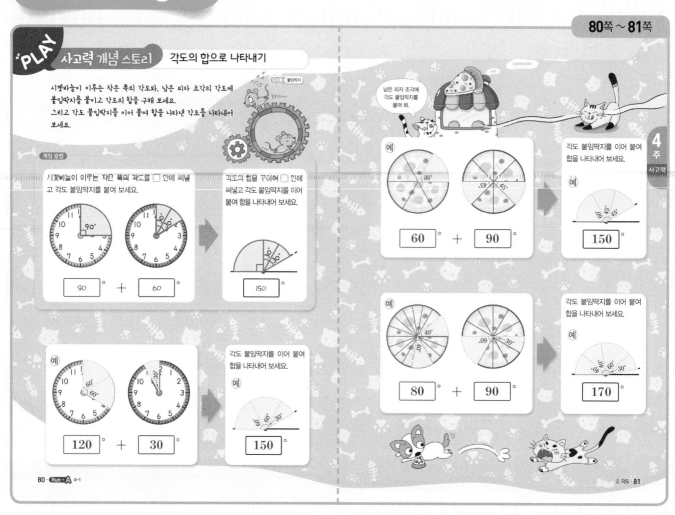

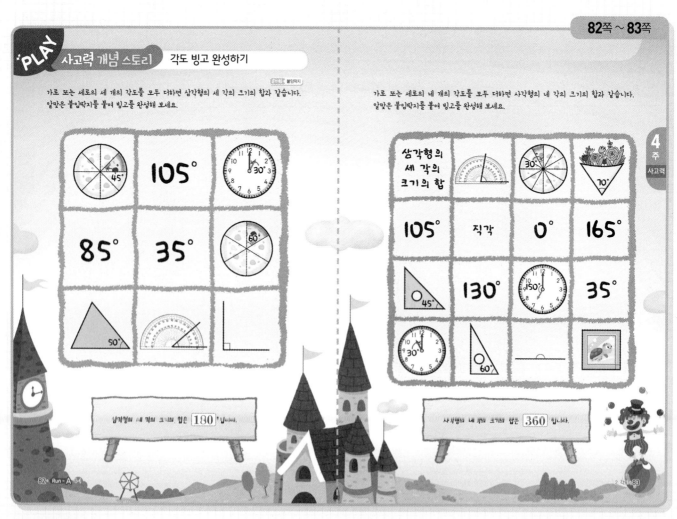

1단계 교과 사고력 잡기

1 등대에서 밤에 다니는 배에게 길을 알려주기 위해 불빛을 비추고 있습니다. 등대에서 퍼지는 불빛의 각도는 100°이고 똑같이 5개로 나누었습니다. ㉠의 각도를 구해 보세요.

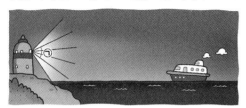

① 등대 불빛의 각도를 똑같이 5개로 나누었습니다. 작은 각 1개의 각도는 몇 도일까요?

(**20°**)

❖ 등대 불빛의 각도는 100°이므로 작은 각 한 개의 각도는 100° ÷ 5 = 20°입니다.

② ㉠의 각도는 작은 각 몇 개의 각도와 같을까요?

(**3개**)

③ ㉠의 각도는 몇 도일까요?

(**60°**)

❖ ㉠의 각도는 20° × 3 = 60°입니다.

정답과 풀이 p.21

2 돌림판을 돌렸을 때 ▼가 가리키는 곳의 상품을 받을 수 있는 게임을 하고 있습니다. 지후가 돌림판을 세 번 돌려서 맞춘 칸의 각도의 합이 90°일 때, 지후가 받는 세 개의 상품은 무엇인지 구해 보세요.

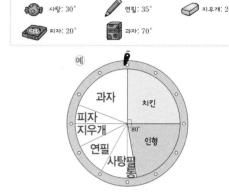

돌림판에서 각도만큼 차지하는 상품

치킨: 90°	인형: 80°	필통: 10°
사탕: 30°	연필: 35°	지우개: 25°
피자: 20°	과자: 70°	

① 각도기를 이용하여 상품별 각도에 맞게 돌림판을 완성해 보세요.

② 지후가 받는 세 개의 상품은 무엇일까요?

(**사탕, 연필, 지우개**)

❖ 합하여 90°가 되는 세 각도는 30°, 35°, 25°이므로 지후가 받는 세 개의 상품은 사탕, 연필, 지우개입니다.

4주 사고력

1단계 교과 사고력 잡기

3 오르막길은 일반적으로 기울어진 각도가 작을수록 물건을 옮기는 데 힘이 적게 듭니다. 대신에 물건을 옮기는 거리는 늘어납니다. 지우와 동생이 같은 무게의 물건을 서로 다른 길을 따라 집으로 옮길 때 지우가 동생보다 더 빨리 도착하려면 어느 길로 가야 하는지 구해 보세요.

① 각도기를 이용하여 ㉮ 길과 ㉯ 길의 각도를 각각 구해 보세요.

㉮ 길 (**30°**)
㉯ 길 (**25°**)

❖ 각도기로 재어 보면 ㉮ 길의 각도는 30°, ㉯ 길의 각도는 25°입니다.

② 지우가 동생보다 더 빨리 도착하려면 어느 길로 가야 할까요?

(**㉮ 길**)

❖ 오르막길의 각도가 클수록 힘은 많이 들지만 그만큼 물건을 옮기는 거리가 짧아집니다. 지우가 동생보다 더 빨리 도착하려면 ㉮ 길로 가야 합니다.

정답과 풀이 p.21

4 직사각형 모양의 종이를 다음과 같이 접었습니다. ㉠의 각도를 구해 보세요.

① 삼각형의 세 각의 크기의 합은 몇 도일까요?

(**180°**)

❖ 삼각형의 세 각의 크기의 합은 180°입니다.

② 접은 종이를 펼쳤을 때 ㉠과 겹쳐지는 각을 ㉡으로 위의 그림에 표시해 보세요.

③ ㉡의 각도는 몇 도일까요?

(**55°**)

❖ 삼각형의 세 각의 크기의 합은 180°이므로 ㉡ + 90° + 35° = 180°입니다.
→ ㉡ = 180° − 90° − 35° = 55°

④ ㉠의 각도는 몇 도일까요?

(**55°**)

❖ ㉠의 각도는 ㉡의 각도와 같으므로 55°입니다.

4주 사고력

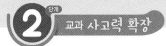

 교과 사고력 확장

1 직선을 크기가 같은 각 6개로 나눈 것입니다. 각 ㄱㅇㄷ과 각 ㅁㅇㅅ의 각도의 합을 구해 보세요.

❶ 직선을 이루는 각의 크기의 합은 몇 도일까요?

(**180°**)

❖ 직선이 이루는 각의 크기의 합은 180°입니다.

❷ 작은 각 한 개의 각도는 몇 도일까요?

(**30°**)

❖ 작은 각 6개의 각도의 합은 180°입니다.
→ (작은 각 한 개의 각도)=180°÷6=30°

❸ 각 ㄱㅇㄷ과 각 ㅁㅇㅅ의 각도의 합을 구해 보세요.

(**120°**)

❖ (각 ㄱㅇㄷ)=30°×2=60°, (각 ㅁㅇㅅ)=30°×2=60°
→ 60°+60°=120°

2 연지와 승우는 피자를 각자 한 판씩 먹고 있었습니다. 피자를 먹다가 배가 불러서 몇 조각씩 남겼습니다. 두 사람이 먹고 남은 피자 조각의 각도의 차를 구해 보세요.
(단, 피자는 각각 똑같은 각도로 잘려져 있습니다.)

❶ 연지가 먹고 남은 피자 조각의 각도의 합은 몇 도일까요?

(**135°**)

❖ 피자 한 판을 똑같이 8조각으로 나눈 것 중 3조각이 남았으므로 연지가 먹고 남은 피자 조각의 각도의 합은 360°÷8=45° → 45°×3=135°입니다.

❷ 승우가 먹고 남은 피자 조각의 각도의 합은 몇 도일까요?

(**120°**)

❖ 피자 한 판을 똑같이 6조각으로 나눈 것 중 2조각이 남았으므로 승우가 먹고 남은 피자 조각의 각도의 합은 360°÷6=60° → 60°×2=120°입니다.

❸ 두 사람이 먹고 남은 피자 조각의 각도의 차를 구해 보세요.

(**15°**)

❖ 135°-120°=15°

 교과 사고력 확장

3 색종이를 접어서 만든 ㉠과 ㉡의 각도의 합을 구해 보세요.

❶ ㉠의 각도를 구해 보세요.

(**45°**)

❖ 직각을 똑같이 두 부분으로 나눈 것 중 하나이므로
㉠=90°÷2=45°입니다.

❷ ㉡의 각도를 구해 보세요.

(**30°**)

❖ 직각을 똑같이 세 부분으로 나눈 것 중 하나이므로
㉡=90°÷3=30°입니다.

❸ ㉠과 ㉡의 각도의 합을 구해 보세요.

(**75°**)

❖ 45°+30°=75°

4 오후 3시에 부산역에서 출발한 기차가 2시간 후에 대전역에 도착했습니다.
기차가 대전역에 도착했을 때의 시각을 시계에 그려 넣고 시곗바늘이 이루는 작은 쪽의 각도를 구해 보세요.

부산역에서 출발   대전역에 도착

❶ 대전역에 도착했을 때의 시각을 위 그림에 알맞게 그려 넣으세요.

❖ 부산역에서 오후 3시에 출발하여 2시간 후 대전역에 도착했으므로 대전역에 도착한 시각은 오후 3+2=5(시)입니다.

❷ 한 시간 동안 짧은바늘이 움직이는 각도는 몇 도일까요?

(**30°**)

❖ 한 시간 동안 짧은바늘은 숫자 눈금 한 칸만큼 움직입니다. 숫자 눈금 3칸이 90°이므로 숫자 눈금 한 칸의 각도는 90°÷3=30°입니다.

❸ 대전역에 도착했을 때 시계의 긴바늘과 짧은바늘이 이루는 작은 쪽의 각도는 몇 도일까요?

(**150°**)

❖ 5시일 때 긴바늘과 짧은바늘이 이루는 작은 쪽의 각도는 숫자 눈금 5칸입니다. 따라서 시곗바늘이 이루는 작은 쪽의 각도는 30°×5=150°입니다.

③ 단계 교과 사고력 완성

평가 영역 □개념 이해력 ☑개념 응용력 □창의력 □문제 해결력

1 도형의 안쪽에 있는 모든 각의 크기의 합을 구하려고 합니다. 주어진 도형을 여러 개의 삼각형 또는 사각형으로 나누어 안쪽에 있는 모든 각의 크기의 합을 구해 보세요.

❶ 예

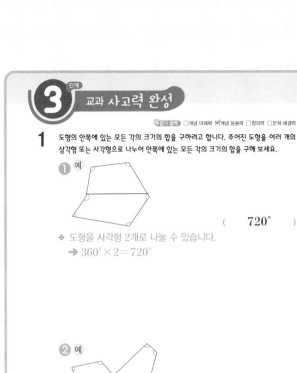

(**720°**)

✣ 도형을 사각형 2개로 나눌 수 있습니다.
➡ $360° \times 2 = 720°$

❷ 예

(**900°**)

✣ 도형을 사각형 2개와 삼각형 1개로 나눌 수 있습니다.
➡ $360° + 360° + 180° = 900°$

> 도형의 꼭짓점과 꼭짓점을
> 선분으로 잇습니다.

92 · Run-Ⓐ 4-1

평가 영역 □개념 이해력 □개념 응용력 □창의력 ☑문제 해결력

2 도형에서 ㉠, ㉡, ㉢의 각도의 합을 구해 보세요.

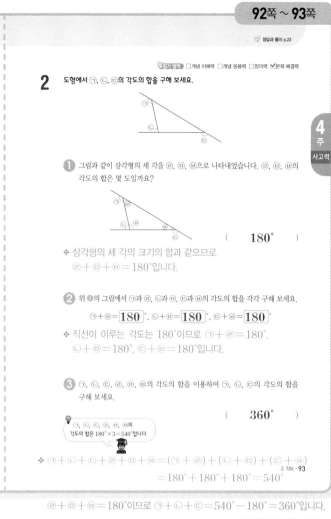

❶ 그림과 같이 삼각형의 세 각을 ㉣, ㉤, ㉥으로 나타내었습니다. ㉣, ㉤, ㉥의 각도의 합은 몇 도일까요?

(**180°**)

✣ 삼각형의 세 각의 크기의 합과 같으므로
㉣+㉤+㉥=180°입니다.

❷ 위 ❶의 그림에서 ㉠과 ㉣, ㉡과 ㉤, ㉢과 ㉥의 각도의 합을 각각 구해 보세요.
㉠+㉣=**180**°, ㉡+㉤=**180**°, ㉢+㉥=**180**°

✣ 직선이 이루는 각도는 180°이므로 ㉠+㉣=180°,
㉡+㉤=180°, ㉢+㉥=180°입니다.

❸ ㉠, ㉡, ㉢, ㉣, ㉤, ㉥의 각도의 합을 이용하여 ㉠, ㉡, ㉢의 각도의 합을 구해 보세요.

(**360°**)

> ㉠, ㉡, ㉢, ㉣, ㉤, ㉥의
> 각도의 합은 180°×3=540°입니다.

✣ ㉠+㉡+㉢+㉣+㉤+㉥=(㉠+㉣)+(㉡+㉤)+(㉢+㉥)
= 180° + 180° + 180° = 540°

㉣+㉤+㉥=180°이므로 ㉠+㉡+㉢=540°−180°=360°입니다.

2. 각도 · 93

Test 종합평가

2. 각도

맞은 개수

1 가장 큰 각에 ○표, 가장 작은 각에 △표 하세요.

( ) (○) (△)

✣ 각의 크기는 변의 길이와 관계없이 두 변이 많이 벌어질수록 큰 각입니다.

2 각도를 구해 보세요.

(**130°**)

✣ 각의 한 변이 바깥쪽 눈금 0에 맞춰져 있으므로 바깥쪽 눈금을 읽으면 130°입니다.

3 예각을 모두 찾아 ○표 하세요.

(⑦⑩) 105° (㉟) 90°

✣ 예각: 각도가 0°보다 크고 직각보다 작은 각

4 주어진 선분을 한 변으로 하는 둔각을 그리려고 합니다. 점 ㄱ과 이어야 하는 점은 어느 것일까요? ·········· (⑤)

① ② ③ ④ ⑤

✣ 점 ㄱ을 (1), (2), (3)과 이으면 예각, (4)와 이으면 직각, (5)와 이으면 둔각이 됩니다.

94 · Run-Ⓐ 4-1

---

5 각의 크기가 작은 것부터 순서대로 번호를 써 보세요.

(3) (2) (1)

✣ 두 변의 벌어진 정도가 작을수록 작은 각입니다.

6 두 각도의 합과 차를 구해 보세요.

45° 65°

합 (**110°**)
차 (**20°**)

✣ 합: $45° + 65° = 110°$
✣ 차: $65° - 45° = 20°$

7 각도를 어림하고 각도기로 재어 확인해 보세요.

(1)
예

어림한 각도: 약 **110**°
각도기로 잰 각도: **110**°

(2)
예

어림한 각도: 약 **80**°
각도기로 잰 각도: **80**°

8 각도기와 자를 이용하여 주어진 각도의 각을 그려 보세요.

(1) 55°
예

(2) 120°
예

2. 각도 · 95

Test 종합평가 2. 각도

정답과 풀이 p.24

9 □안에 알맞은 수를 써넣으세요.

(1) ㉠+㉡+㉢=**180°**

(2) ㉣+㉤+㉥+㉦=**360°**

✧ (1) 삼각형의 세 각의 크기의 합은 180°입니다.
(2) 사각형의 네 각의 크기의 합은 360°입니다.

10 □안에 알맞은 수를 써넣으세요.

(1) 80° 55° **45**

(2) 80 55° 105° 120°

✧ (1) 80°+55°+□=180°
➡ □=180°−80°−55°=45°
(2) □+105°+120°+55°=360°
➡ □=360°−105°−120°−55°=80°

11 준수는 도서관에서 숙제를 하고 있습니다. 준수의 자세에서 볼 수 있는 각도를 각도기를 이용하여 각각 재어 보세요.

㉠ (**35°**)
㉡ (**90°**)
㉢ (**95°**)

12 각도가 가장 큰 각을 찾아 기호를 써 보세요.

㉠ 65°+75°   ㉡ 직각+55°   ㉢ 70°+80°

(**㉢**)

✧ ㉠ 65°+75°=140°
㉡ 직각+55°=90°+55°=145°
㉢ 70°+80°=150°

13 다음 도형에서 각 ㄱㄴㄷ의 크기는 몇 도일까요?

(**80°**)

✧ 각 ㄱㄴㄷ은 각도기의 바깥쪽 눈금 50에서 130까지 벌어져 있습니다. 따라서 (각 ㄱㄴㄷ)=130°−50°=80°입니다.

14 시곗바늘이 이루는 작은 쪽의 각이 둔각인 것을 모두 찾아 기호를 써 보세요.

㉠ 12시 15분   ㉡ 4시   ㉢ 3시 30분   ㉣ 5시 45분

(**㉡, ㉣**)

✧ ㉠ ➡ 예각   ㉡ ➡ 둔각   ㉢ ➡ 예각   ㉣ ➡ 둔각

15 두 직각 삼각자를 겹쳐서 만든 모양입니다. □안에 알맞은 수를 써넣으세요.

60° 45° **15**

✧ ➡ □=45°−30°=15°

Test 종합평가 2. 각도

정답과 풀이 p.24

16 도형에 표시된 모든 각의 크기의 합은 몇 도일까요?

(**720°**)

✧ 도형을 사각형 2개로 나눌 수 있습니다. 사각형의 네 각의 크기의 합이 360°이므로 360°×2=720°입니다.

17 □안에 알맞은 수를 써넣으세요.

(1) 40° **70** 110°

(2) **95** ㉠ 100° 85°

✧ (1) ㉠=180°−110°=70°
➡ □=180°−40°−70°=70°
(2) ㉠=360°−90°−85°−100°=85°
➡ □=180°−85°=95°

18 두 판의 피자에 각각 한 조각씩 남아 있습니다. 남은 피자 두 조각의 각도의 합을 구해 보세요. (단, 피자는 각각 똑같은 각도로 잘려져 있습니다.)

㉮   ㉯

(**105°**)

✧ ㉮와 같이 잘랐을 때 피자 한 조각의 각도는 360°÷6=60°이고 ㉯와 같이 잘랐을 때 피자 한 조각의 각도는 360°÷8=45°입니다. 따라서 남은 피자 두 조각의 각도의 합은 60°+45°=105°입니다.

특강 창의·융합 사고력

정답과 풀이 p.24

1 사람을 만났을 때나 헤어질 때에 예의를 표현하는 말이나 행동을 인사라고 합니다. 인사는 가능한 적극적으로 하는 것이 바람직하지만, 상황에 맞지 않거나 형식을 제대로 갖추지 않은 인사는 오히려 *결례가 되기도 합니다. 상황에 맞는 인사의 종류를 찾아 이어 보세요.

*결례: 예의범절에서 벗어나는 일

30° 보통의 인사

45° 정중한 인사

15° 가벼운 인사

가볍게 고개를 숙이는 정도로 예를 표하는 인사
· 질문이나 부탁을 할 때
· 이웃사람을 만났을 때
· 앉아 있을 때

가장 기본이 되는 인사
· 웃어른께 인사할 때
· 또래와 처음 만났을 때
· 감사의 표현을 할 때
· 손님을 맞이할 때

집안의 웃어른이나 존경하는 분 또는 어떤 의식에서 하는 인사
· 예의를 갖춰 감사를 표현할 때
· 진심으로 사과할 때
· 스승을 만났을 때

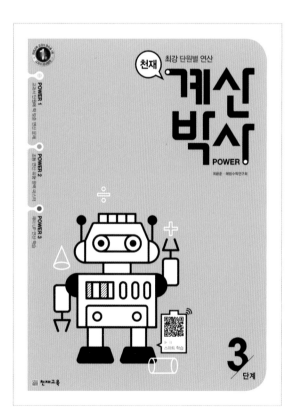

정답은
이안에
있어 !